DÍA de MUERTOS II
RISA Y CALAVERA

ARTES DE MÉXICO

REVISTA LIBRO NÚMERO 67
PRIMERA EDICIÓN, 2003
SEGUNDA EDICIÓN, 2011

DIRECCIÓN GENERAL
Alberto Ruy Sánchez Lacy
Margarita de Orellana
DIRECCIÓN ADMINISTRATIVA
Teresa Vergara
SUBDIRECCIÓN
Gabriela Olmos
EDICIÓN EN INGLÉS
Richard Mozca
CORRECCIÓN
José Luis Trueba Lara
REDACCIÓN
Santiago Ruy Sánchez
ASISTENTE DE DISEÑO
Gracia Zanuttini González
PUBLICIDAD
Luz Hernández
Nicole Taboada
ASESOR LEGAL EN
DERECHO DE AUTOR
J. Ramón Obón León
INSTITUTO DE
INVESTIGACIONES
ARTES DE MÉXICO
Director
Alfonso Alfaro
PROYECTOS ESPECIALES
Directora
Mónica del Villar K.

EN LA PRIMERA EDICIÓN
JEFA DE REDACCIÓN
Ana María Pérez Rocha
TRADUCCIÓN AL INGLÉS
David Bevis
Carole Castelli
Jason Lange
Richard Moszka
Michelle Suderman
CORRECCIÓN
Stella Cuéllar
Irma Gallo
María Palomar

AGRADECIMIENTOS
Quica López
Rodrigo Pimentel
Ramón Reverté
Froylán Ruiz
Fundación Andrés Blaisten
Mary Anne Martin Fine Art

ASAMBLEA DE ACCIONISTAS
Víctor Acuña
Cristina Brittingham de Ayala
Mita Castiglioni de Aparicio
Armando Colina Gómez
Margarita de Orellana
Olga María de Orellana
Ma. Eugenia de Orellana de
    Hutchins
Octavio Gómez Gómez
Rocío González de Canales
Michèle Sueur de Leites
Bruno J. Newman
Marie Hélène Pontvianne
Abel L. M. Quezada
Alberto Ruy Sánchez Lacy

José C. Terán Moreno
Teresa Vergara
Jorge Vértiz

CONSEJO DE ADMINISTRACIÓN
Presidente
Alberto Ruy Sánchez Lacy
Vicepresidente
Bruno Newman
Consejeros
Ernesto Canales
Octavio Gómez Gómez
Margarita de Orellana
Florence Pontvianne
Marie Hélène Pontvianne
Abel L. M. Quezada
Enrique Rivas Zivy
Teresa Vergara
Comisario
Julio Ortiz
Secretario
Luis Gerardo García Santos Coy

CONSEJO DE ASESORES
Alfonso Alfaro
Luis Almeida
Homero Aridjis
Huberto Batis
Alberto Blanco
Antonio Bolívar
Rubén Bonifaz Nuño
Efraín Castro
Leonor Cortina
José Luis Cuevas
Cristina Esteras
Manuel Felguérez
Beatriz de la Fuente
Carlos Fuentes
Concepción García Sáiz
Teodoro González de León
José E. Iturriaga †
Miguel León-Portilla
Jorge Alberto Lozoya
Alberto Manguel
Alfonso de Maria y Campos
Eduardo Matos Moctezuma
Vicente Medel
Álvaro Mutis
Bruno J. Newman
Luis Ortiz Macedo
Brian Nissen
Ricardo Pérez Escamilla †
Pedro Ramírez Vázquez
Vicente Rojo
Guillermo Tovar
Juan Urquiaga
Héctor Vasconcelos
Eliot Weinberger
Ramón Xirau

REPRODUCCIÓN DE OBRA
Portada
Tachi
Capitulares: Jorge Vértiz.
Interiores
Jorge Pablo Aguinaco: págs. 24,
    26, 41 (abajo), 43.
Jorge Álvarez: págs. 67, 70.

Jorge Contreras Chacel: págs. 34,
    35, 54.
Dolores Dahlhaus: págs. 66, 69.
Ediciones RM / Sebastian
    Saldívar: pág. 12.
Ferrante Ferranti: págs. 56-57,
    60, 61, 62, 71.
Francisco Kochen: págs. 47, 64.
Mary Anne Martin Fine Art:
    pág. 29 (arriba).
Jorge Vértiz: págs. 1, 11, 14
    (arriba), 16 (abajo), 19, 20, 21,
    23 (arriba), 27, 28, 29 (abajo),
    32-33, 41 (arriba), 44 (arriba),
    45, 46 (arriba), 50, 53, 63,
    65, 72.
Irma Villalobos: pág. 35.
Tachi: págs. 4-5, 6, 7, 8-9, 14
    (abajo), 15, 16 (arriba), 17,
    22, 23 (izquierda y abajo),
    30-31, 39, 42, 44 (abajo), 46
    (abajo), 48-49, 51, 52, 59, 68,
    70 (abajo).

OFICINAS Y SUSCRIPCIONES
Córdoba 69, Col. Roma, 06700,
México, D.F.
T: 5525 5905, 5208 4503
F: 5525 5925

www.artesdemexico.com |
ventas@artesdemexico.com
suscripciones@artesdemexico.com
publicidad@artesdemexico.com

Artes de México es una publicación
de Artes de México y del Mundo,
S.A. de C.V. | Miembro número
127 de la CANIEM. Certificado
de Licitud de Contenido # 56.
Certificado de Licitud de Título
otorgado por la Comisión
Calificadora de Publicaciones y
Revistas Ilustradas # 99.
Reserva de Título #
04-1998-1720262000-102
Como revista: ISSN 0300-4953 |
Como libro en encuadernación
rústica: ISBN 970-683-077-4 | Como
libro en pasta dura: ISBN
970-683-051-0

Impresa por Transcontinental
Reproducciones Fotomecánicas, S.A.
de C.V. sobre papel Magno Matt
de 135 gramos y encuadernada en
Encuadernadora Mexicana, S.A.
de C.V. | Distribuida por Artes de
México y Distribuidora de Impresos,
S. de R.L. de C.V., Mariano Escobedo
218, Col. Anáhuac, 11320,
México, D.F.

PÁGINA 1:

FROYLÁN RUIZ.

HOMENAJE, 1986.

ÓLEO SOBRE TELA

SOBRE MADERA.

100 X 110 CM.

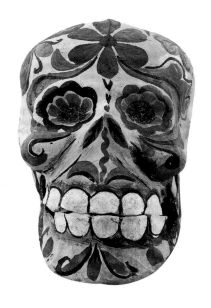  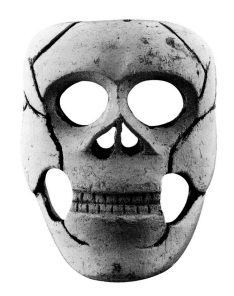

NUESTRA P⊕RTADA

LA PEL⊕NA DE LAS CALAVE-RAS MEXICANAS ES UNA MUER+E DE RASG⊕S MUY HUMAN⊕S. APARECE C⊕M⊕ D⊕N QUI-J⊕+E M⊕N+AD⊕ S⊕BRE R⊕CINAN+E, C⊕M⊕ F⊕RAJID⊕, CICLIS+A, +⊕RER⊕, ALBAÑIL; C⊕N S⊕MBRER⊕ A LA ÚL+IMA M⊕DA, C⊕N BAR-BAS ⊕NDEAN+ES ⊕ C⊕N BIG⊕+ES A LA KAI-SER. DE NINGÚN M⊕D⊕ ES UN ESPAN+AJ⊕, UNA ALUSIÓN AL INEVI+ABLE FIN; N⊕ ES MÁS REPUGNAN+E NI MÁS ESPAN+⊕SA QUE L⊕S H⊕MBRES. [...] LA CALAVERA MEXICANA N⊕ ES EX+RAHUMANA, NI S⊕BREHUMANA, N⊕ +IENE NADA DE FAN+ASMA; P⊕R L⊕ +AN-+⊕, N⊕ ES+IMULA A LA FAN+ASÍA A GIRAR M⊕RB⊕SAMEN+E EN +⊕RN⊕ A L⊕ MACABR⊕. ESA MUER+E DE LAS CALAVERAS N⊕ ES LA DEM⊕NIACA ADVERSARIA DEL H⊕MBRE, ES MÁS BIEN SU C⊕N+RINCAN+E EN UN JUEG⊕ EN QUE AMB⊕S JUEGAN LIMPI⊕.

PAUL WES+HEIM

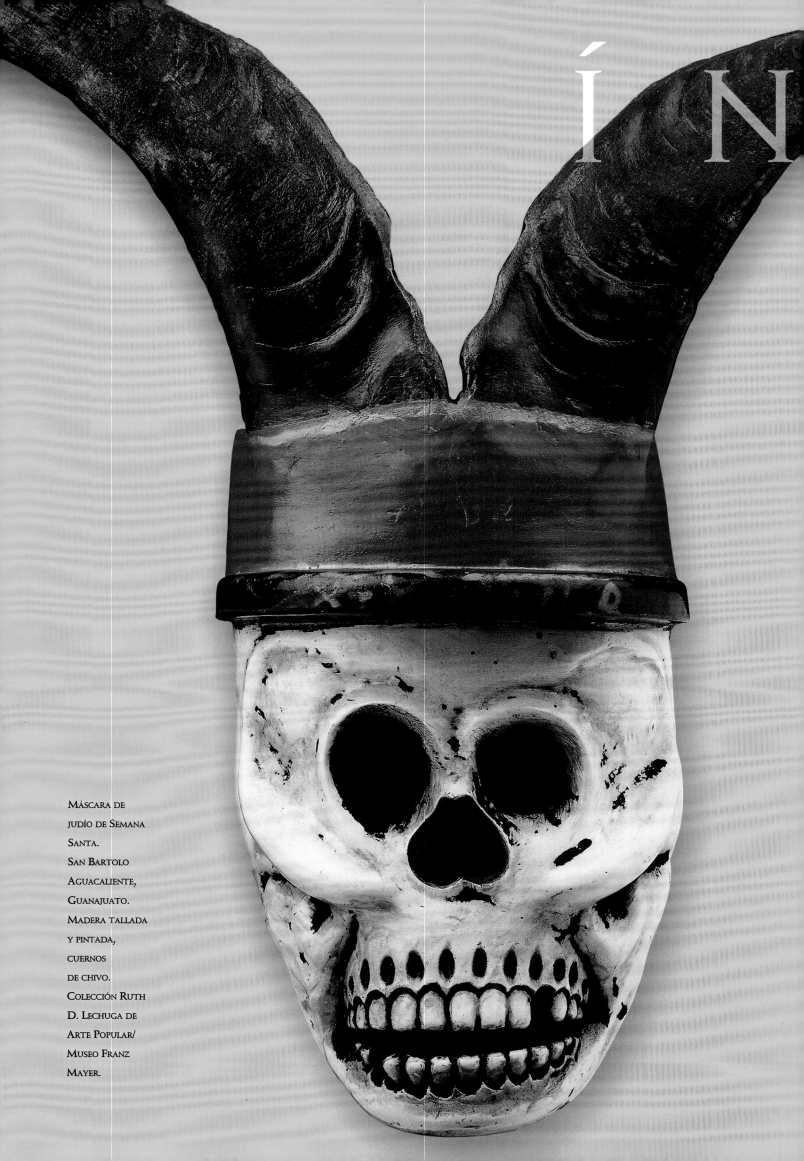

Máscara de judío de Semana Santa. San Bartolo Aguacaliente, Guanajuato. Madera tallada y pintada, cuernos de chivo. Colección Ruth D. Lechuga de Arte Popular/ Museo Franz Mayer.

DICE

M U E
LA

Margarita ♦ de ♦ Orellana

AL INVESTIGAR en *Artes de México* el día de Muertos, la primera evidencia que se nos impuso iba en contra de lo que comúnmente se piensa: esta celebración no se vive de la misma manera en el mundo rural y en el mundo urbano. En el primero, el día de Muertos está aún muy ligado a las creencias ancestrales. Su forma ritual de expresar su creatividad está impregnada de una solemnidad inflexible y de un rígido código protocolario acompañado de un derroche de colores, composiciones y texturas. En el día de Muertos urbano también existe un estallido de colores y formas, pero éstas se hallan desprovistas de religiosidad y poseen un sentido festivo más desenfadado y lúdico. En este ejemplar de *Artes de México* —así como en el número 62, dedicado al día de Muertos en el ámbito rural— hemos intentado representar estas dos formas de celebrar el día de Muertos. ❋ También hemos querido explorar ciertas interrogantes que nos hemos planteado desde que concebimos las dos ediciones. ¿Cómo y cuándo esta celebración se diferenció en el mundo rural y en el mundo urbano? ¿Por qué en la ciudad se abandonó el carácter ritual para convertir a esta fiesta en una experiencia exaltada y desafiante? ¿Por qué muchos de nosotros pensamos que se trata de una fiesta que se celebra igual en todo el país? ❋ Se ha pensado que el día de Muertos de la ciudad es una fiesta secular, debido a la Revolución mexicana. La obsesión de muchos intelectuales posrevolucionarios por impulsar nuestras raíces culturales desproveyéndolas de su catolicismo y su herencia española, para privilegiar el pasado prehispánico, hizo que la reflexión en torno al día de Muertos optara por este camino. Sin embargo, encontramos que ese distanciamiento entre el ámbito rural y el urbano ya se daba desde las últimas décadas del siglo XIX. En una sociedad que deseaba ser moderna y formar parte de la serie de naciones que ya lo eran, estas celebraciones parecían un atavismo, un obstáculo para el progreso. Hay quienes expresaban (sobre todo en las clases medias ilustradas) su repudio ante estas muestras de "atraso". Otros más tradicionalistas se lamentaban de que un día que había estado por siglos dedicado al dolor y la nostalgia adquiriera tintes de frivolidad. Según su peculiar punto de vista, los muertos ya no venían a compartir sus alimentos, sino a contemplar "grandes comilonas con glotones que ingerían sin cesar golosinas y bebidas alcohólicas". En los panteones, en vez de plegarias se escucha-

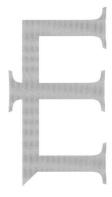

FAMILIA LINARES. MÁSCARA DECORATIVA. PAPEL AGLUTINADO Y PINTADO. CIUDAD DE MÉXICO, 1980. COLECCIÓN RUTH D. LECHUGA DE ARTE POPULAR/ MUSEO FRANZ MAYER.

R T E
S⊕N R I E N✝E

ban voces altisonantes y hasta carcajadas. ✳ En la ciudad y en lugares como Toluca, con su Mercado del Alfeñique, había una inundación de colores y sabores
encarnados en sus panes y sus dulces, sobre todo las calaveras de azúcar. En el
ámbito rural no se ve esta proliferación de azúcar, sino la preparación de alimentos tradicionales ligados a los gustos de los difuntos. Y de ninguna manera encontramos las calaveras de dulce en las ofrendas. ✳ Las calacas en la
ciudad nos son muy familiares. Son estas figuras las que expresan la actitud
de desafío ante la muerte que supuestamente es parte de nuestra idiosincrasia. Es curioso cómo en el México del siglo XX se le dio tanto
realce a esta representación, cuyos orígenes se encuentran en la Europa
medieval, como si se tratara de un rasgo nacional. La calavera en todas
sus representaciones se convierte, sobre todo en ese día, en parte de la
comunidad, y las calaveras de dulce que nos comemos, en una especie de
comunión con la muerte. Dos autores clásicos, Luis Cardoza y Aragón
y Paul Westheim, intrigados, desde su llegada a México, por este fenómeno, examinan y reflexionan sobre diversos aspectos de la plástica
derivada de los esqueletos. El primero lo hace a través de las calaveras de
José Guadalupe Posada. Para Westheim, estas representaciones descarnadas nos hablan
más de la angustia de la vida que de la convivencia con la muerte. ✳ Ruth Lechuga destaca
que la calavera no sólo baila y participa jocosamente de nuestros días de Muertos. La calaca tílica y flaca se inventa y reinventa sin cesar en el México cotidiano. No podíamos dejar
fuera la exportación de esta tradición hacia la frontera norte. ¿Qué papel jugó y juega entre
los chicanos? Tomás Ybarra Frausto define esta tradición exportada como una lucha contra
el olvido que permite afrontar —y quizá transformar— esa nueva realidad del emigrante.
Después, la escritora Ana García Bergua nos ofrece un altar de muertos literario insospe-
chado. ✳ El brillante ensayo de Alfonso Alfaro nos responde muchas de las interrogantes
que nos hicimos al iniciar este número. ¿Cómo el día de Muertos y sus calaveras urbanas
ha servido como instrumento simbólico dentro de la estrategia posrevolucionaria para
crear una identidad nacional? ¿Cómo, poco a poco, se ha interiorizado en nuestra sociedad la idea de que los mexicanos tenemos una relación privilegiada con la muerte?
Este autor, además, analiza la actitud que las clases superiores urbanas toman frente a la
muerte, similar a la de sus homólogas europeas y estadounidenses. Y finalmente invoca
a esa muerte que, día a día, aparece en el país al escuchar los tiros de un cuerno de chivo.
Y plantea una certeza con respecto a esa muerte: "nuestro país no tiene la menor idea de
qué hacer con ella". ✳ El tema de la muerte es inagotable. Habrá que seguir explorándolo
en nuevas publicaciones, intentando provocar entre nuestros lectores más interrogantes
e inquietudes que las aquí planteadas. ▲

Páginas 8 y 9:
Ofrenda de día
de Muertos en
la Plaza de
Santo
Domingo.
Ciudad de
México, 2002.

Familia Linares.
Cráneo
decorativo.
Ciudad de
México, 1985.
Papel
aglutinado y
pintado.
Colección Ruth
D. Lechuga de
Arte Popular/
Museo Franz
Mayer.

DURANTE LAS ÚLTIMAS DÉCADAS DEL SIGLO XIX, LA SOCIEDAD DE LA CIUDAD DE MÉXICO CELE-
BRABA EL DÍA DE MUERTOS DE UNA MANERA DISTINTA, Y A VECES DISTANTE, DE LA QUE SE ACOS-
TUMBRABA EN EL PASADO. EL SENTIDO RITUAL COBRABA, POCO A POCO, UNA FORMA FESTIVA,
MÁS ACORDE CON LOS TIEMPOS MODERNOS. HABÍA QUIENES DESPRECIABAN LA CELEBRACIÓN
TRADICIONAL POR CONSIDERARLA UN ATAVISMO; EN CAMBIO, OTROS MÁS CONSERVADORES
SE LAMENTABAN DE LOS TINTES FRÍVOLOS QUE HABÍAN IMPREGNADO AL DÍA DE MUERTOS.

LA FIESTA SE SECULARIZABA A MEDIDA QUE LA SOCIEDAD SE INSCRIBÍA
EN LOS PARADIGMAS DE PROGRESO DE AQUELLA ÉPOCA.

DEL
RITO
A LA
FIESTA

EL DÍA DE MUERTOS EN EL SIGLO XIX

ALFEÑIQUE PARA ✝ODOS SANTOS

Francisco ◆ de ◆ Ajofrín

Antes del día de los difuntos venden mil figuras de ovejitas, carneros, etcétera, de alfeñique, y le llaman ofrenda, y es obsequio que se ha de hacer por fuerza a los niños y niñas de las casas de su conocimiento. Venden también féretros, tumbas y mil figuritas de muertos, clérigos, frailes y monjas de todas las religiones, obispos, caballeros, cuyo gran mercado y vistosa feria es en los portales de los mercaderes, adonde es increíble el concurso de señoras y señores de México la víspera de Todos los Santos. [...] ❀ Todas estas figuras y monerías, y otras cosas de más entidad, las hacen los léperos con gran primor y por poco precio; y si esto mismo se les manda hacer, piden dinero adelantado (lo que es común a todo oficial en la América), y o no lo hacen, con lo que se pierde lo que se les da, o lo hacen mal, tarde y caro, con lo que se pierde la paciencia. ❀

Diario del viaje a la Nueva España.

ESTA PÁGINA Y TODAS LAS CAPITULARES A LO LARGO DEL NÚMERO: OFELIA MURRIETA. *DE MUERTES, CALACAS Y OTROS HUESOS,* 1996. PLATA.

PÁGINA SIGUIENTE: PUESTO EN EL MERCADO DEL ALFEÑIQUE. TOLUCA, 2000.

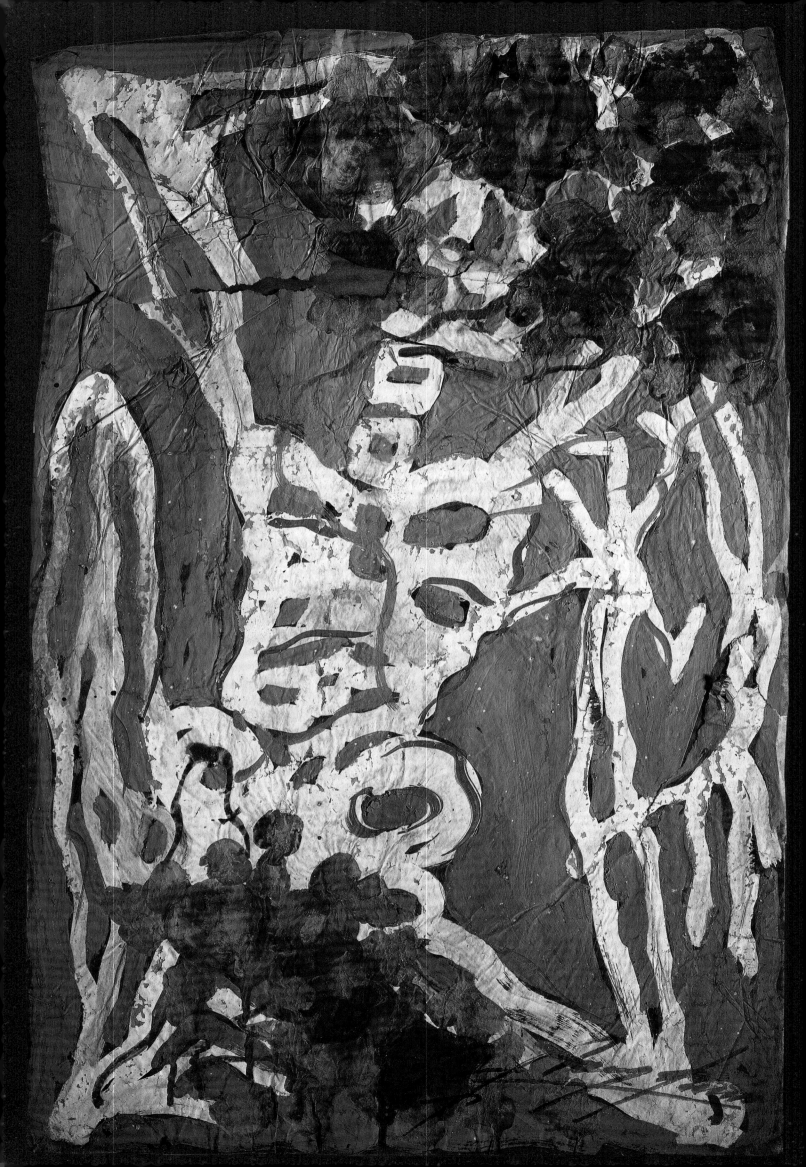

◆ 1878 ◆

MUERTOS Y PANTEONES EN LA CIUDAD

Guillermo ◆ Prieto

Recuerdo el clamoreo lúgubre que anunciaba desde el toque del alba el día consagrado a los recuerdos de la muerte, y a esos despojos que no tienen nombre especial y que vivieron con nuestra propia vida. ❀ En muchas casas se encendían lámparas, velas y cirios como para revivir, en la intimidad del hogar, los más vivos recuerdos de las personas amadas. ❀ Rompían por todas partes lamentaciones y lloros, la ternura y los diligentes cuidados se manifestaban en los adornos sepulcrales: cirios labrados, gasas, flores, coronas, abalorios, y cuanto podía sugerir el cariño o la vanidad para honrar las tumbas. ❀ Para el pópulo era un día de verdadero dolor y gozo. ❀ Llorar al muerto, enterrar el hueso, comprar la fruta, disponer la ofrenda, pasear la plaza, éstos eran muchos placeres y muchas seducciones para un día de lágrimas. ❀ En las bizcocherías y panaderías se vendían y venden en cantidades fabulosas tortas de muerto con sus labores simétricas y su azúcar en polvo espolvoreada por encima; eran dulces de ordenanza el ponche, la sabrosísima jalea de tejocote y los alfeñiques que recorrían toda la escala social. ❀ Para la jalea y para el alfeñique se celebraban verdaderas especialidades, y había tejocotes de particular nombradía; la gala de la jalea consistía en su transparencia y se hacía ostentación de aquella en que la tarjeta o dedicatoria se ponía en el fondo del platón leyéndose como a través de los cristales. ❀

PÁGINA ANTERIOR:

CHUCHO REYES.

MUERTE FLORIDA,

CA. 1960.

TEMPLE SOBRE

PAPEL DE CHINA.

70 X 50 CM.

COL. PARTICULAR.

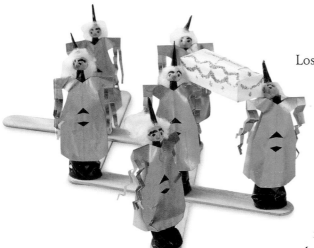

Los alfeñiques, especialmente los del convento de San Lorenzo, alcanzaron merecido renombre; eran pirámides y caprichos fantásticos, obeliscos, rocas, ríos y paisajes primorosos. ❋ Pero el alfeñique constituía un ramo de cuantioso comercio que afectaba a la gente pobre. ❋ Además, en las casas particulares, el alfeñique y las calaveras de azúcar suministraban pretexto y materiales para los regocijos del hogar. ❋ De la clase media para abajo, era de verse a las muchachonas frescas, con los túnicos en holgura, las mangas remangadas, y listas para verter el almíbar sobre la fría losa que las congelaba, arrancar trozos, golpear, pulir y sacar, como escultoras hábiles, gallinas y borregos, mulitas y juguetes en medio del ir y venir, los saltos y los hurtos de los chicos, que eran la vida y el sazón de la fiesta. ❋ Los chicos, los criados, los conocidos, los infinitos devotos del préstamo forzoso, creían cobrar derecho para pedir a todo el mundo su calavera y sus animitas, y ese contingente extraordinario caía sobre el mercado, para convertirse en entierritos de garbanzo, muertos, escribanos, tumbas, piras y ofrendas variadísimas. ❋ La parte gastronómica tenía sus artículos de consumo de ordenanza, descollando para el populacho, en primer término, las "cabezas" calientes de horno, de las que se hacía fabuloso consumo, siendo los lugares más notables de expendio Necatitlán, La Retama, Nana Rosa, Don Toribio y las inmediaciones de las pulquerías de La Garrapata y de Tío Juan Aguirre, o las inmediaciones de Santiago Tlaltelolco, camposanto que revalidó su crédito en la primera invasión del cólera ocurrida en 1833. ❋ Las

❖ AL AMOR DE LA *MUSA CALLEJERA*
VENID A DAR SOLAZ A MI ESQUELETO, Y
EN CASCADA DE PERLAS VOCINGLERA DECID
AL MUNDO, EN CÁNTICO DISCRETO, QUE
INERTE AL PIE DE TROPICAL PALMERA, AQUÍ
DESCANSA EN PAZ GUILLERMO PRIETO.
CALAVERA AL AUTOR, PUBLICADA
EN *EL COMBATE*, 2 DE NOVIEMBRE DE 1887.

personas más encopetadas recurrían al mole de guajolote para que los asistiese en sus tribulaciones, y los muertos de pan y de chacualole (calabaza cocida con miel de panocha) eran los manjares que se colocaban sobre los sepulcros, entre la cera, las abundantes frutas y las golosinas que constituían la ofrenda. ❋ La ofrenda, particularmente en los pueblos de indígenas, era y suele considerarse como pingüe rendimiento de la Iglesia y de curas y sacristanes. ❋ Pasados los llantos y el caer de las sombras, las lechuzas del templo se abalanzaban sobre las ofrendas de los difuntos, y aquel botín cuantioso regocijaba a los que quedaban con el alma en el cuerpo en este valle de lágrimas. [...] ❋ La Iglesia no podía permanecer indiferente a las demostraciones de duelo; en cada templo, a las puertas y de trecho en trecho, en el interior de los cementerios, había una mesilla con su cubierta negra, sucia y con chorreones de cera; en ella una amarilla calavera, el acetre, el hisopo, y a la espalda la tosca silla del sacerdote y el característico tololoche alzando su cuello de rocín flaco sobre el aparato mortuorio-mercantil. ❋ La tarifa de las pingües recaudaciones era sencilla: medio real por el responso rezado, y ciento por ciento más por el cantado, con el acompañamiento del desastrado tololoche. ❋ La pitanza se depositaba en el acetre; bajo la mesa había uno o dos cántaros con agua para reponer la materia prima de las preces, y del canto y acetre había para que se llenara muchas veces y muchas se vaciara, recaudándose en algún camposanto popular, hasta seis y ocho mil pesos sólo de responsos. ❋ En esos grandes cementerios no aristocráticos, en las tardes y al caer la noche, eran las orgías, los desórdenes, las riñas espantosas y el llanto;

AL CENTRO Y ABAJO: SEPELIO DE 26 PERSONAJES EN TIJERA. CUERPOS DE PAPEL LUSTRE, CABEZAS DE GARBANZO DECORADO. GUANAJUATO, 1993. COLECCIÓN RUTH D. LECHUGA DE ARTE POPULAR/ MUSEO FRANZ MAYER.

el requiebro, la blasfemia y la sangre trazaban cuadros que por fortuna no alcanzamos ahora que se dice que tocamos en el último grado de la desmoralización. [...] ✳ La noche era dedicada a los rosarios de ánimas o patrullas eclesiásticas con sus cantores y con su tololoche al frente, rezando y derramando responsos en las calles a diestra y siniestra. ✳ El llamado de aquella comitiva era, por cuanto voz, como que se trataba de una serenata fúnebre, y el esmero y la vanidad se cifraba en que se proclamasen los nombres de los difuntos beneficiados y quedara entendido en el vecindario que no pasaban la noche aquellos pobres muertos sin un fandango a su manera. ✳ Era muy frecuente que amantes desdeñados o matrimonios mal avenidos cohechasen a monigotes y cantantes para que proclamasen en su responso el nombre del petimetre veleidoso o de la querida infiel y entonces, si el aludido o alguno de sus deudos era de brío y alentaba coraje, sacudía trancazos, y aquellos gritos, y aquella zambra, y aquellas lágrimas calientes y genuinas, eran como quien dice el complemento y la gloria del día. [...] ✳ Para este día se han multiplicado monumentos de exquisito gusto y aun de verdadera belleza artística. El culto

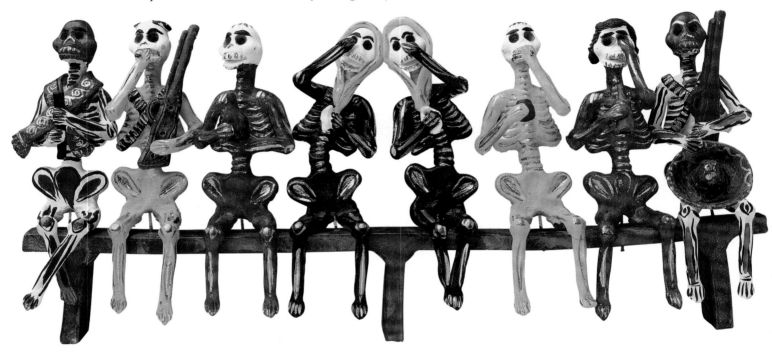

de las flores es constante y complace ver a los padres de familia llevar a sus hijos a rendir homenaje a sus deudos queridos con esa ofrenda, símbolo de la plegaria y del amor [...] ✳ El Panteón Francés es verdaderamente hermoso y digno de su objeto y de un pueblo civilizado: majestad, belleza, salubridad, grandeza religiosa, esmero y propiedad en el culto, todo se encuentra allí. ✳ En cuanto a rosarios y fiestas nocturnas, han desaparecido, sin duda porque los interesados tuvieron presente el diálogo aquel que repetían en estos días los léperos: ✳ —Comadre pelona, me alegro de verte. ✳ —No andemos con chanzas, que yo soy la muerte. ✳ O este otro, también leperocrático neto: ✳ "Andando de vagamundo/ me encontré una calavera,/ y le dije en lo profundo:/ A mí lo mismo me pega/ más que sea del otro mundo". ✳

ESTA PÁGINA Y LA SIGUIENTE: PEDRO SOTENO. VELORIO. BARRO MODELADO, MOLDEADO, COCIDO Y PINTADO. METEPEC, ESTADO DE MÉXICO, 1986. COLECCIÓN RUTH D. LECHUGA DE ARTE POPULAR/ MUSEO FRANZ MAYER.

GUILLERMO PRIETO. Nació y murió en la ciudad de México (1818-1897). Estudió en el Colegio de San Juan de Letrán. Fue secretario particular de Valentín Gómez Farías y de Anastasio Bustamante. Fue profesor de economía en el Colegio Militar. Combatió contra los estadounidenses en la guerra de 1847. Colaboró en la redacción de las leyes de Reforma. Fue diputado 18 veces y siete veces secretario de Hacienda. Inició su carrera periodística como redactor de *El Cosmopolita* y del *Diario Oficial*. En 1890 el diario *La República* lo nombró el poeta más popular del país. Perteneció a la Academia de Letrán y al Ateneo Mexicano.

◆ 1880 ◆

EL DÍA DE MUERTOS

Ignacio ◆ Manuel ◆ Altamirano

En los antiguos tiempos, es decir, antes de la Reforma, México se despertaba el día 2 de noviembre al funeral clamor de la campana que doblaba en todas las iglesias, recordando que era el día de la conmemoración de los fieles difuntos. ✳ ¡Ah!, ¡qué tristeza y qué tedio causaba ese incesante y funeral clamoreo que comenzaba en la Catedral y que se repetía en los cien campanarios de los conventos y en todas las iglesias, parroquias, capillas y ermitas que bordaban la ciudad de oriente a poniente, y de norte a sur! Era una incesante vibración acompasada, ronca, lúgubre, que daba origen a variados sentimientos, pero todos amargos. La tristeza, el pesar, el desaliento se apoderaban del corazón, como el cortejo pavoroso de los recuerdos del día. Porque ¿quién no había perdido a alguna persona amada, cuya memoria venía a evocar la voz de la campana? ✳ Y los fieles conmovidos han obedecido hoy, lo mismo que en los antiguos tiempos, al mandato sagrado, porque aunque las campanas habían enmudecido por algunos años y se han disminuido en los presentes, la costumbre piadosa de conmemorar a los difuntos ha permanecido firme, mantenida por la tradición y por la ternura de las familias. ✳ Así pues, aunque yo conocía

❖ ES CALAVERA EL INGLÉS,
CALAVERA EL ITALIANO,
LO MISMO MAXIMILIANO,
Y EL PONTÍFICE ROMANO,
Y TODOS LOS CARDENALES,
REYES, DUQUES, CONCEJALES,
Y EL JEFE DE LA NACIÓN.
EN LA TUMBA SON IGUALES:
CALAVERAS DEL MONTÓN.

PÁGINA SIGUIENTE:
ÁRBOL
DE LA MUERTE.
BARRO MODELADO,
MOLDEADO
Y COCIDO.
METEPEC, ESTADO
DE MÉXICO, 1995.

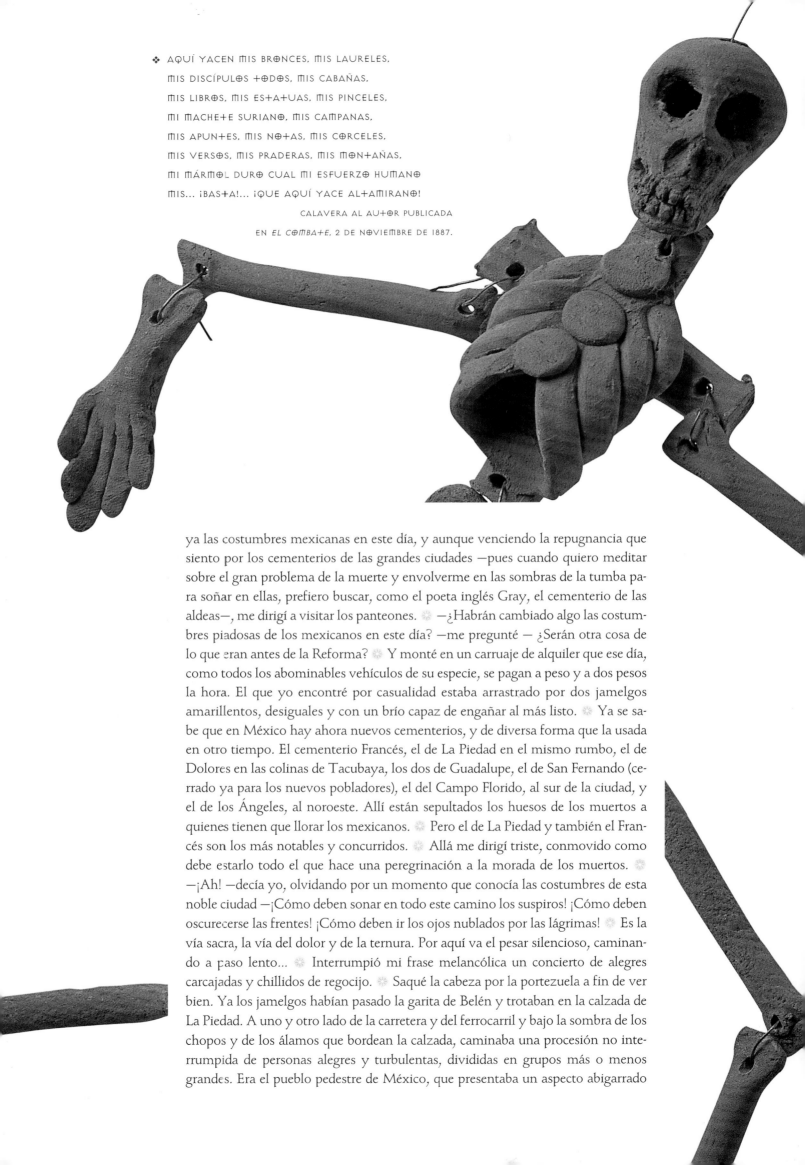

❖ AQUÍ YACEN MIS BRONCES, MIS LAURELES,
MIS DISCÍPULOS TODOS, MIS CABAÑAS,
MIS LIBROS, MIS ESTATUAS, MIS PINCELES,
MI MACHETE SURIANO, MIS CAMPANAS,
MIS APUNTES, MIS NOTAS, MIS CORCELES,
MIS VERSOS, MIS PRADERAS, MIS MONTAÑAS,
MI MÁRMOL DURO CUAL MI ESFUERZO HUMANO
MIS... ¡BASTA!... ¡QUE AQUÍ YACE ALTAMIRANO!

CALAVERA AL AUTOR PUBLICADA
EN *EL COMBATE*, 2 DE NOVIEMBRE DE 1887.

ya las costumbres mexicanas en este día, y aunque venciendo la repugnancia que
siento por los cementerios de las grandes ciudades —pues cuando quiero meditar
sobre el gran problema de la muerte y envolverme en las sombras de la tumba para soñar en ellas, prefiero buscar, como el poeta inglés Gray, el cementerio de las
aldeas—, me dirigí a visitar los panteones. ❁ —¿Habrán cambiado algo las costumbres piadosas de los mexicanos en este día? —me pregunté — ¿Serán otra cosa de
lo que eran antes de la Reforma? ❁ Y monté en un carruaje de alquiler que ese día,
como todos los abominables vehículos de su especie, se pagan a peso y a dos pesos
la hora. El que yo encontré por casualidad estaba arrastrado por dos jamelgos
amarillentos, desiguales y con un brío capaz de engañar al más listo. ❁ Ya se sabe que en México hay ahora nuevos cementerios, y de diversa forma que la usada
en otro tiempo. El cementerio Francés, el de La Piedad en el mismo rumbo, el de
Dolores en las colinas de Tacubaya, los dos de Guadalupe, el de San Fernando (ce-
rrado ya para los nuevos pobladores), el del Campo Florido, al sur de la ciudad, y
el de los Ángeles, al noroeste. Allí están sepultados los huesos de los muertos a
quienes tienen que llorar los mexicanos. ❁ Pero el de La Piedad y también el Francés son los más notables y concurridos. ❁ Allá me dirigí triste, conmovido como
debe estarlo todo el que hace una peregrinación a la morada de los muertos. ❁
—¡Ah! —decía yo, olvidando por un momento que conocía las costumbres de esta
noble ciudad —¡Cómo deben sonar en todo este camino los suspiros! ¡Cómo deben
oscurecerse las frentes! ¡Cómo deben ir los ojos nublados por las lágrimas! ❁ Es la
vía sacra, la vía del dolor y de la ternura. Por aquí va el pesar silencioso, caminan-
do a paso lento... ❁ Interrumpió mi frase melancólica un concierto de alegres
carcajadas y chillidos de regocijo. ❁ Saqué la cabeza por la portezuela a fin de ver
bien. Ya los jamelgos habían pasado la garita de Belén y trotaban en la calzada de
La Piedad. A uno y otro lado de la carretera y del ferrocarril y bajo la sombra de los
chopos y de los álamos que bordean la calzada, caminaba una procesión no inte-
rrumpida de personas alegres y turbulentas, divididas en grupos más o menos
grandes. Era el pueblo pedestre de México, que presentaba un aspecto abigarrado

y pintoresco. Las familias llevaban juntamente con algunos cirios y crespones o flores negras, ramos de flores naturales, coronas de siempreviva o de ciprés, y cestos con comida, y frutas, y enormes jarros de pulque. ❊ Pulque por donde quiera. A veces era una mula mezclándose entre la gente y cargando dos grandes odres de pulque, a veces un cargador llevando una castaña con el mismo licor, y mujeres, ancianos y niños vestidos de fiesta o cubiertos de andrajos, pero siempre llevando en las manos el embriagante líquido. ❊ Estas gentes eran las que parloteaban, reían, silbaban y formaban una algazara que dominaba las notas lejanas del doble que sonaba en la ciudad. ❊ Aquélla era la peregrinación del dolor. A cada paso interrumpían el camino multitud de puestos de comida y de frutas o cantinas surtidas de licores, pero dominando constantemente el pulque. ❊ A poco, alcanzome un largo tren compuesto de veinte vagones. Era curioso de ver. La gente bien vestida se apiñaba en ellos de un modo increíble. Las señoras iban de pie muchas veces; no cabían; eran un mundo. Parecían arenques en un barril. Aquéllos también eran peregrinos del dolor. Y cien coches particulares de alquiler atravesaban rápida o lentamente, atascándose en el camino de La Piedad, lleno de charcos y de lodo, a causa de la lluvia del día anterior y de hoyancos y de sinuosidades, a causa del descuido. En esos carruajes también iban peregrinos del dolor. ❊ Llegamos a La Piedad. Hormigueaba la gente; era una feria. Penetramos en el cementerio pobre y triste, el más mal cuidado de los cementerios, que podía estar lleno de árboles y que está erizado de yerba silvestre. Allí se entierra a toda clase de gente, pero con particularidad, a la pobre. Los peregrinos que venían se dispersaban en el laberinto de calles que conducen a los campos de las clases baratas. Allí iban a parar los cirios, las flores, los cestos y el pulque. En la entrada un centenar de indígenas se afanaba haciendo y vendiendo ramilletes de los pobres, porque los ramilletes elegantes se vendían ese día a precios subidos. No describiré las tumbas, ¿para qué? No hay obras de arte, ni siquiera sepulcros ricos. ❊ Salimos de ese cementerio y encontré a una gruesa señora de mis conocidas, acompañada de sus jóvenes y pispiretas hijas que venían emperejiladas, como para una tertulia. —¿Ha ido usted —me preguntó —al Panteón Francés? ❊ —No, señora, allá voy en este momento. ❊ —Sí, vaya usted, ¡qué lindo está!, ¡qué elegantes sepulcros!, ¡qué ricos y qué graciosos! Y verá usted muy hermosos trajes, porque allí está lo más ele-

José Guadalupe Posada. *Gran panteón de calaveras.*

gante de México; es verdad que hay algunas señoras muy ridículas, pero en cambio otras van muy bien... ❈ —Señora —repliqué —yo no entiendo una palabra de trajes y de modas, pero veré los sepulcros. ❈ —Sí, sí: vea usted los sepulcros, son de muy buen gusto, muy costosos; yo creo que el de la señora fulana ha de haber costado lo menos 6 000 pesos; pues si el de los menganos... figúrese usted, puro mármol, bronce y tiene tibores de 200 pesos. Vaya usted, se divertirá usted mucho. ❈ Éste es el juicio general que arranca el dolor a los que van a orar por los muertos, según lo manda la Iglesia. ❈ Fui al Panteón Francés, y casi no pude entrar. Me retiré acosado por los empellones del gentío y entre los caballos de los 50 carruajes que allí esperaban al mundo elegante, como le llamaba mi gruesa amiga. ❈ Regresé a México, pero en la tarde volvía a La Piedad. La gritería que escuché al llegar al cementerio mexicano me anunció que el dolor había llegado al delirio entre los sepulcros. ❈ En efecto, aquella muchedumbre que velaba junto a las tumbas, después de haber orado, había tenido que comer; era preciso comer, y las lágrimas se debilitan; se habían tendido manteles junto a las tumbas, o la misma yerba sepulcral había servido de mesa. Luego había circulado el jarro de pulque; después se habían derramado sobre las lápidas lágrimas de pulque, y luego comenzó la orgía funeral. El blanco licor había exacerbado los pesares; se hablaba recio, se sollozaba, se maldecía, se juraba, se desesperaba; el amor físico se burlaba de la muerte, y parece que, en medio de este frenesí, la cólera, los celos, los deseos, todas las furias que pueden agitar el corazón humano, agitaban sus rojas antorchas, eclipsando la tenue luz amarillenta de los lirios y de los sepulcros. ❈ El sol se ponía. Los sauces llorones y los chopos se teñían con el color opalino de la luz de la tarde. Era preciso decir adiós a las cenizas amadas y hacer la última oración y la última libación. Ésta fue terrible. ❈ Después la muchedumbre comenzó a salir, pero no como sale una muchedumbre abatida y llorosa, sino como se desencadenaban las turbas de la antigua Roma, cuando el pontífice pronunciaba en lo alto de las gradas del templo la palabra sacramental *Evohé*, que inauguraba las Saturnales. ❈ Los grupos de mujeres desmelenadas aturdían con sus cantares y espantaban con sus gestos; los hombres se agitaban con violencia, reñían o se daban de puñaladas o bamboleaban hasta caer. Los 500 gendarmes que custodiaban la calzada corrían en sus caballos con el alfanje desnudo; la calzada de La Piedad era un inmenso *pandemonium* y las primeras sombras del crepúsculo envolvían los últimos sacrificios del dolor. ¿Y qué hacía entre tanto el ángel de las tumbas? ❈ En la noche, por todas las calles de la ciudad, circulaban todavía a media noche los animados grupos de los afligidos, cantando y bebiendo. ❈ El extranjero que, asomado a su ventana, hubiera presenciado este espectáculo, no habría podido menos que reasumir sus impresiones del día, diciendo: —¡Qué borracho es el pueblo de México y qué mala voz tiene! ❈

IGNACIO MANUEL ALTAMIRANO.
Nació en Guerrero y murió en Italia (1834-1893). Estudió abogacía en el Colegio de Letrán. Tomó parte en la revolución de Ayutla y combatió a los conservadores en la guerra de Reforma. Como crítico y catedrático propugnó una apertura a la literatura universal. Publicó poesía (*Rimas*, 1871), cuentos y novelas, entre las que destacan *Clemencia*, *Navidad en las montañas* y *El Zarco*.

REFRANES
POPULARES
DE DÍA DE MUERTOS

✳ AL VIVO TODO LE FALTA Y AL MUERTO TODO LE SOBRA.

✳ A MÍ LAS CALAVERAS ME PELAN LOS DIENTES.

✳ NO ES MALA LA MUERTE
CUANDO SE LLEVA A QUIEN DEBE.

✳ SE HACE PESADO EL MUERTO
CUANDO SIENTE QUE LO CARGAN.

✳ CONSEJOS Y EJEMPLOS QUE OBLIGAN, LOS QUE
LOS MUERTOS NOS DIGAN.

✳ CUANDO EL TECOLOTE CANTA, EL INDIO
MUERE... NO ES CIERTO, PERO SUCEDE.

✳ CUANDO ESTÉS MUERTO, TODOS
DIRÁN QUE FUISTE BUENO.

✳ DE AQUÍ A CIEN AÑOS, TODOS SEREMOS PELONES.

✳ DE GOLOSOS Y TRAGONES ESTÁN LLENOS LOS PANTEONES.

✳ MALA YERBA NUNCA MUERE... Y
SI MUERE, NI FALTA HACE.

✳ AL QUE POR SU GUSTO MUERE,
LA MUERTE LE SABE A DULCE.

✳ VÁMONOS MURIENDO TODOS,
QUE ESTÁN ENTERRANDO GRATIS.

✳ EL MUERTO AL POZO Y EL VIVO AL GOZO.

DESPUÉS
DE MUERTOS

José ◆ Tomás ◆ de ◆ Cuéllar

esde los salvajes hasta los más civilizados, todos los pueblos han dividido sus ceremonias públicas en dos categorías: los regocijos y las pompas fúnebres. Así ha sido desde la más remota antigüedad porque ésas son las dos fases de la vida humana: se goza y se padece alternativamente; se ríe y se llora, se nace y se muere. Por estos dos caminos hemos llegado a dividirnos los humanos en dos secciones: los muertos y los dolientes, y a habitar en dos ciudades: en las ciudades silenciosas que se llaman cementerios o en las ciudades alegres donde lloran y ríen los que sobreviven. ❋ Apenas hay horas más negras en nuestra vida que aquellas en que hemos llorado la pérdida de un ser querido; y apenas hay una idea más pavorosa que la de nuestro fin irremediable. ❋ Ante el gran misterio de la muerte se anonada la razón humana y las manifestaciones del duelo han llegado a tomar formas más o menos extravagantes; pero en el fondo de todas ellas está siempre el dolor. Estaba reservado a México el convertir la pompa fúnebre en regocijo; estaba reservado a este país de anomalías y contradicciones hasta lo sublime, el decantado y oprobioso velorio de la gente inculta y supersticiosa. ❋ Se comprende fácilmente que el indio y el mestizo inculto se crean en el deber ineludible de comprar el día de Muertos los bizcochos más malos que se fabrican en todo el año, y las flores más feas y de peor aroma que produce la tierra, el cempasúchil, para poner la ofrenda, acompañada de velas de cera y de fumigaciones de incienso. Esta costumbre es casi un rito, y bajo el punto de vista alegórico, es no sólo disculpable, sino que encierra como una idea mal expresada de la inmortalidad, puesto que el comer, la primera idea del ser viviente y el precio de la vida, se le ofrece al muerto. ✳ Un indio taciturno y callado delante de un montón de cempasúchil, delante de bizcochos azucarados que respeta, y a la luz de dos velas de cera y envuelto en la nube del incienso, es un doliente respetable, es un egipcio del tiempo de Sesostris, en América, que está probando que el camino del progreso es más largo que lo que parece a primera vista. ✳ Pero que lo más granado de la sociedad de México, en unión de lo más abyecto de las masas populares, celebre la conmemoración de los fieles difuntos con gritos y vendimias tiene para nosotros en el fondo una significación altamente desconsoladora en el orden moral. Y no se nos quiera hacer creer que esta sociedad se divorció de la Iglesia católica desde la Reforma, y que en el día de Muertos no se sujeta a las prácticas y ritos de la conmemoración, sino que la gente va al Zócalo porque le da la gana; no señor. La gente se viste de negro en la mañana, llora en el panteón en la tarde, y coquetea en la noche vestida de color rosa. ¿Es que el sentimiento y el duelo, y el recuerdo tristísimo de los que amamos y murieron es también mentira? No lo sabemos, pero lo cierto es que la actual costumbre nos lleva a cada quien a pensar de esta manera: "Cuando yo muera, me llorarán con seriedad los míos hasta noviembre; y en el día consagrado por la Iglesia al recuerdo de los muertos, mi mujer y mis hijos, mis amigos y mis deudos serán los actores de una fiesta inventada para burlarse de los muertos. Vestidos de colores relucientes se pasearán al son del can-cán dentro de una gran barrada, y cenarán opíparamente para ahogar en *champagne* el último vislumbre de tristeza por mi irreparable pérdida". ✳ Esta idea terrible que haría estremecer a las piedras si pudiera hacerles comprender que habían de morir, se torna en mojiganga; y del cráneo y de la tumba se hacen juguetes para los niños, para que más tarde puedan celebrar a carcajadas la muerte de su padre. ✳ ¿O será que, en lo que llamamos fiestas de noviembre, lo de los muertos es lo de menos, y de lo que se trata es del aniversario de Todos los Santos? Tengo para mí que el divorcio de la Iglesia y del Estado comenzó precisamente por el desprestigio en que habían ido cayendo los santos para una mayoría considerable de nuestra sociedad. No satisface mis dudas el imaginarme que la gente se entusiasma con ese recuerdo tan excepcionalmente católico. ✳ ¿Es acaso el doloroso recuerdo del padre, de la madre, del hermano, del hijo muerto, el que consume esas toneladas de cacahuates y de golosinas? Fisiológicamente los grandes dolores están en opo-

sición con el apetito. ¿Qué le sucede a este dolor tan legítimo y tan serio, que se regodea de gusto el 2 de noviembre, y no sólo se regodea de gusto, sino que se vuelve glotón en demasía? ❀ El dolor es lógico; se exhala en lágrimas y en sollozos y suspiros. No hay en nuestro admirable organismo ni otros jugos, ni otros fenómenos nerviosos para expresarlo. Pero el dolor de que se trata, ese dolor que dice la gente, el dolor anual de fecha fija, es un dolor estrictamente bejaranesco, abigarrado y goloso, y discurre poco más o menos de esta manera: ¿Conmemoramos a nuestra madre muerta?, pues hartémonos; propinémonos hoy una ración extraordinaria de golosinas indigestas, y que haya mucha música y muchas diversiones. Y cada familia se prepara a las fiestas, con la intervención más o menos directa del agiotista, acopiando los artículos heterogéneos que constan en esta lista que nos encontramos en el Zócalo: ❀ "25 varas de raso maravilloso color de yema de huevo y 20 varas de encaje de a medio la vara para Virginia. ❀ Crema de bismuto, cascarilla de La Habana, etcétera. ❀ 80 varas de raso color de rosa, para la mamá, zapatos del mismo color y medias de seda. ❀ Gorros para las muchachas y botines despunteados. ❀ Una corona de a diez pesos para la tumba de mi padrino, el general. ❀ Un ramo de flores para la pobre de mi tía Charo. ❀ Velas y candeleros para la tumba de la familia en Dolores y gratificación al criado que los cuida para que no se los roben. ❀ Tres velo-mantillas. ❀ Mole verde para la cocinera. ❀ Suscripción para pasar a las tablas que separan el paseo público del erario de Bejarano. ❀ Cena sobre el Zócalo". ❀ De esta manera y de aberración en aberración, México presenta en estos días a los ojos del filósofo y del ex-

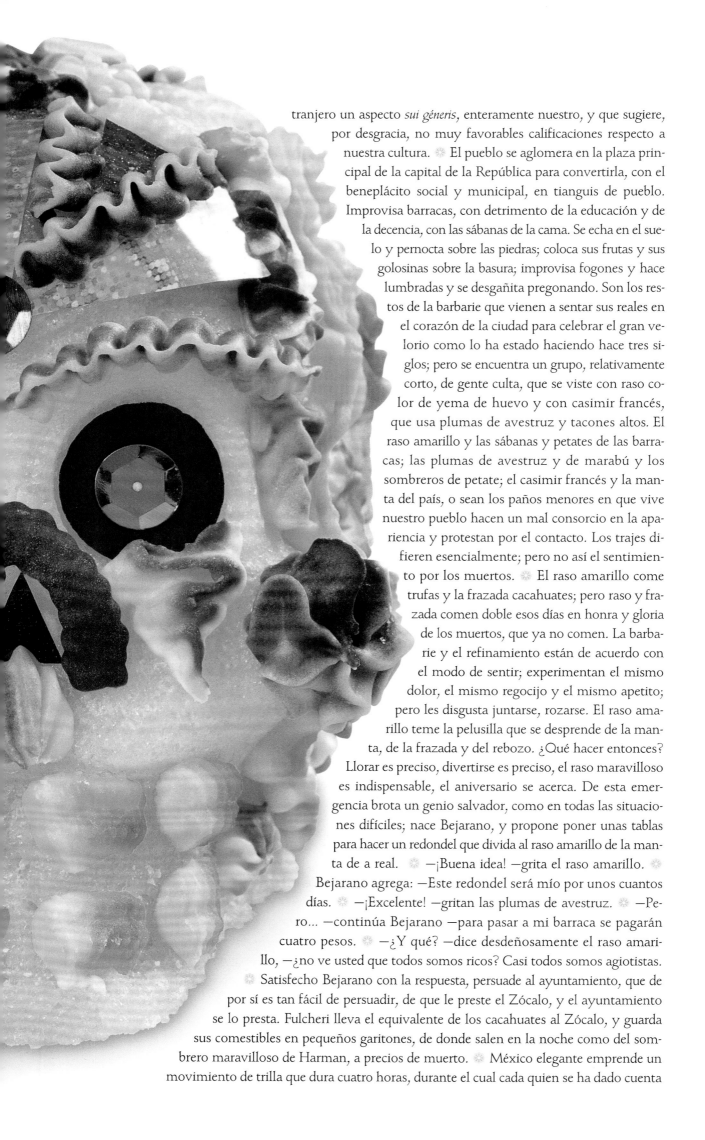

tranjero un aspecto *sui géneris*, enteramente nuestro, y que sugiere, por desgracia, no muy favorables calificaciones respecto a nuestra cultura. ✳ El pueblo se aglomera en la plaza principal de la capital de la República para convertirla, con el beneplácito social y municipal, en tianguis de pueblo. Improvisa barracas, con detrimento de la educación y de la decencia, con las sábanas de la cama. Se echa en el suelo y pernocta sobre las piedras; coloca sus frutas y sus golosinas sobre la basura; improvisa fogones y hace lumbradas y se desgañita pregonando. Son los restos de la barbarie que vienen a sentar sus reales en el corazón de la ciudad para celebrar el gran velorio como lo ha estado haciendo hace tres siglos; pero se encuentra un grupo, relativamente corto, de gente culta, que se viste con raso color de yema de huevo y con casimir francés, que usa plumas de avestruz y tacones altos. El raso amarillo y las sábanas y petates de las barracas; las plumas de avestruz y de marabú y los sombreros de petate; el casimir francés y la manta del país, o sean los paños menores en que vive nuestro pueblo hacen un mal consorcio en la apariencia y protestan por el contacto. Los trajes difieren esencialmente; pero no así el sentimiento por los muertos. ✳ El raso amarillo come trufas y la frazada cacahuates; pero raso y frazada comen doble esos días en honra y gloria de los muertos, que ya no comen. La barbarie y el refinamiento están de acuerdo con el modo de sentir; experimentan el mismo dolor, el mismo regocijo y el mismo apetito; pero les disgusta juntarse, rozarse. El raso amarillo teme la pelusilla que se desprende de la manta, de la frazada y del rebozo. ¿Qué hacer entonces? Llorar es preciso, divertirse es preciso, el raso maravilloso es indispensable, el aniversario se acerca. De esta emergencia brota un genio salvador, como en todas las situaciones difíciles; nace Bejarano, y propone poner unas tablas para hacer un redondel que divida al raso amarillo de la manta de a real. ✳ —¡Buena idea! —grita el raso amarillo. Bejarano agrega: —Este redondel será mío por unos cuantos días. ✳ —¡Excelente! —gritan las plumas de avestruz. ✳ —Pero... —continúa Bejarano —para pasar a mi barraca se pagarán cuatro pesos. ✳ —¿Y qué? —dice desdeñosamente el raso amarillo, —¿no ve usted que todos somos ricos? Casi todos somos agiotistas. ✳ Satisfecho Bejarano con la respuesta, persuade al ayuntamiento, que de por sí es tan fácil de persuadir, de que le preste el Zócalo, y el ayuntamiento se lo presta. Fulcheri lleva el equivalente de los cacahuates al Zócalo, y guarda sus comestibles en pequeños garitones, de donde salen en la noche como del sombrero maravilloso de Harman, a precios de muerto. ✳ México elegante emprende un movimiento de trilla que dura cuatro horas, durante el cual cada quien se ha dado cuenta

ELENA CLIMENT. *ALTAR DE MUERTOS CON VISTA AL JARDÍN DEL RECUERDO,* 1999. ÓLEO SOBRE TELA. 27.9 x 45.5 CM. CORTESÍA MARY ANNE MARTIN FINE ART.

del raso de las otras, y queda persuadido de la utilidad de las prendas de todas clases, de que por cuatro pesos oyó la misma música que de ordinario oye de balde y de que cenó caro por final de cuentas. ❋ ¿Y los muertos? No tienen novedad. ¿Qué más pueden exigir esos pobres cadáveres que su corona de a diez pesos, y sus velas de cera, y sus flores? Se les ha puesto su ofrenda, pero no han querido comérsela. ¿Será que no tienen apetito y ellos saben su cuento? ❋ ¿Y los dolientes? Todos ellos han perdido a uno o a muchos seres queridos, todos han llorado y tienen las llagas abiertas, las heridas mal cicatrizadas, y con ellas aún sangrando se presentan en el día solemne del recuerdo, en el día oficial, en el día de la Iglesia, a inscribirse voluntariamente ¿en el registro de los que rezan y los que lloran? No: a suscribirse en el redondel de Bejarano y en el menú de Fulcheri. ❋ ¿Y el sentimiento, y el pesar, y el duelo? ¿Irán pasando todas estas flores del alma a la categoría del cempasúchil, que es la más ordinaria y fea de las flores? ¿El lujo y los placeres habrán acabado de robar al alma de esta generación el espiritualismo y la moral, la gratitud y el recuerdo, la sensibilidad y la lógica? No lo sabemos, pero es desgarrador que haya algo más triste que la muerte: la alegría y la indiferencia de los vivos. De todos modos, ya tenemos un dato para no hacernos ilusiones respecto al porvenir, porque después de muertos no sólo nos espera la tumba con todos sus honores, sino el redondel de Bejarano. ❋

PÁGINAS 30 Y 31: SIRENA. PAPEL AGLUTINADO, MOLDEADO Y PINTADO, SOBRE MADERA. CELAYA, GUANAJUATO, 1990. COLECCIÓN RUTH D. LECHUGA DE ARTE POPULAR/ MUSEO FRANZ MAYER.

JOSÉ TOMÁS DE CUÉLLAR. Nació y murió en la ciudad de México (1830-1894). Estudió en los colegios de San Gregorio, San Ildefonso, Militar, y en la Academia de San Carlos. Fue periodista desde los 20 años. En 1868 participó en la fundación de La bohemia literaria, grupo en el que trabajó como editor hasta 1872, año en que se incorporó al cuerpo diplomático en Washington, donde vivió hasta 1882. En 1892 fue nombrado miembro de la Real Academia Española. Fue autor de varias piezas de teatro, entre ellas: *Deberes y sacrificios, Natural y figura* y *Cubrir las apariencias;* en poesía: *Obras poéticas* y *Versos.* Sus novelas aparecieron como dos series tituladas *La linterna mágica.*

TEMOR
A LA
MUERTE
ANGUSTIA DE VIVIR

Paul • Westheim

¿QUÉ ES LO QUE HA LLEVADO AL MEXICANO A ADOPTAR A LA CALAVERA COMO UN MOTIVO FRECUENTE EN LA PLÁSTICA Y EN EL ARTE POPULAR? ES IMPORTANTE SU TRADICIÓN MESTIZA —LAS REPRESENTACIONES TRADICIONALES DE LA MUERTE SE HALLAN A MEDIO CAMINO ENTRE LAS DANZAS MACABRAS EUROPEAS Y EL PANTEÓN PREHISPÁNICO—, PERO LO ES MÁS LA ANGUSTIA DE CONFRONTAR LO IRREMEDIABLE. DESDE ESTA PERSPECTIVA, ESTE AUTOR REFLEXIONA EN TORNO AL ESQUELETO, YA NO ELEMENTO DISTINTIVO DE NUESTRA CULTURA, SINO *LEITMOTIV* QUE NOS AYUDA A ENFRENTAR LA INCERTIDUMBRE DE LA VIDA HUMANA.

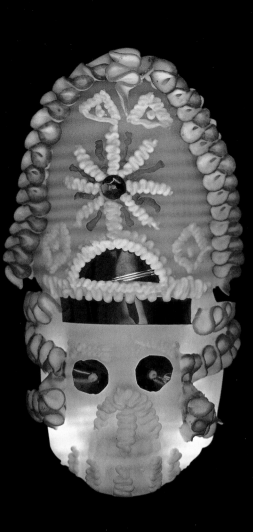

La calavera, como motivo plástico, es una fantasía popular que desde hace milenios se deleita en la representación de la muerte, como el Renacimiento y el Barroco en la de angelillos y cupidos: esto fue una tremenda sorpresa y casi un trauma para los visitantes de la Exposición de Arte Mexicano en París. Se paraban ante la estatua de Coatlicue, diosa de la tierra y de la vida, que lleva la máscara de la muerte; contemplaban el cráneo de cristal de roca —uno de los minerales más duros—, tallado por un artista azteca, en inumerables horas de trabajo, con asombroso dominio del oficio; miraban los grabados de los dibujantes populares, Manilla y Posada, que recurrían a esqueletos para comentar los sucesos sociales y políticos de su tiempo. Se enteraban de que en México hay padres que el 2 de noviembre regalan a sus hijos calaveras de azúcar

EL HORROR DELANTE DE LOS LÍMITES ABSO-
LUTOS DE LA MUERTE SE INTERIORIZA EN UNA
IRONÍA CONTINUA; SE LE DESARMA POR ADELAN-
TADO; SE VUELVE RISIBLE; DÁNDOLE UNA FORMA
COTIDIANA Y DOMESTICADA, RENOVÁNDOLO A
CADA INSTANTE EN EL ESPECTÁCULO DE LA VI-
DA, DISEMINÁNDOLO EN LOS VICIOS, EN LOS DE-
FECTOS Y EN LOS ASPECTOS RIDÍCULOS DE CADA
UNO. EL ANIQUILAMIENTO DE LA MUERTE NO ES
NADA, PUESTO QUE YA ERA TODO, PUESTO QUE
LA VIDA MISMA NO ES MÁS QUE FATUIDAD, VA-
NAS PALABRAS, RUIDO DE CASCABELES. YA ESTÁ
VACÍA LA CABEZA QUE SE VOLVERÁ CALAVERA. EN
LA LOCURA SE ENCUENTRA YA LA MUERTE. PERO
ES TAMBIÉN SU PRESENCIA VENCIDA, ESQUIVADA
EN ESTOS ADEMANES DE TODOS LOS DÍAS QUE, AL
ANUNCIAR QUE YA REINA, INDICA QUE SU PRESA
SERÁ UNA TRISTE CONQUISTA. LO QUE LA MUER-
TE DESENMASCARA, NO ERA SINO MÁSCARA, Y NA-
DA MÁS; PARA DESCUBRIR EL RICTUS DEL ESQUE-
LETO HA BASTADO LEVANTAR ALGO QUE NO ERA
NI VERDAD NI BELLEZA, SINO SOLAMENTE UN ROS-
TRO DE YESO Y OROPEL. ES LA MISMA SONRISA LA
DE LA MÁSCARA VANA Y LA DEL CADÁVER. PERO
LO QUE HAY EN LA RISA DEL LOCO ES QUE SE RÍE
POR ADELANTADO DE LA RISA DE LA MUERTE.

MICHEL FOUCAULT.

y chocolate en las cuales está escrito el nombre
de la criatura, y que ésta se come encantada el
dulce macabro, como si fuera la cosa más natural del mundo. Les fascinaba un arte popular que
confecciona con materiales muy humildes —con
tela, madera, barro y hasta con chicle— unos muñecos en forma de esqueletos, ataviados con abiga-
rradas prendas, juguetes muy comunes y queridos
por el pueblo... Paul Rivet, en una crónica sobre la
exposición, habla de motivos inesperados y pregunta: "¿Qué decir de esos muñecos que representan una
pareja en traje de boda, y son en realidad una pareja de
esqueletos?" Pregunta en la que se vislumbra, además
del asombro, un dejo de espanto. El europeo, para quien
es una pesadilla pensar en la muerte y que no quiere que
le recuerden la caducidad de la vida, se ve de pronto frente
a un mundo que parece libre de esa angustia, que juega con
la muerte y hasta se burla de ella... ¡Extraño mundo, actitud
inconcebible! ❋ El México antiguo no conocía el concepto de
infierno. Es posible y hasta probable que en el inconsciente del
pueblo, sobre todo del pueblo indígena, siga viviendo todavía el oscuro recuerdo de un más allá abierto aun al pecador. El hecho en sí es el
mismo en todas partes, pero la concepción de la muerte es otra. La imagen
del esqueleto con la guadaña y el reloj de arena, símbolo de lo perecedero, es

en México de importación; en los casos en que se la acoge —por ejemplo, en las representaciones de la danza macabra— se adapta enseguida, se aclimata, se mexicaniza, como lo vemos en Manilla y Posada. Xavier Villaurrutia, cuya poesía gira, casi enteramente, en torno a la muerte, escribió alguna vez: "Aquí se tiene una gran facilidad para morir, es más fuerte su atracción conforme mayor cantidad de sangre india tenemos en las venas. Mientras más criollo se es, mayor temor por la muerte, puesto que eso es lo que se nos enseña". La carga psíquica que da un tinte trágico a la existencia del mexicano, hoy, como hace dos y tres mil años, no es el temor a la muerte, sino la angustia de la vida, la conciencia de estar expuesto, y con insuficientes medios de defensa, a una vida llena de peligros, llena de esencia demoniaca. ✳ La íntima convicción del indio de que la vida es sufrimiento, de que el sumiso y débil es víctima de la brutalidad del fuerte —aquello que Rouault expresó al poner en uno de sus grabados de *Miserere et Guerre*, la sentencia de Plauto "El hombre es el lobo del hombre"— hizo que el arte religioso del México colonial adoptara con verdadera pasión y tratara con mil conmovedoras variantes el tema del Cristo martirizado, cuyo cuerpo, fustigado por inhumanos verdugos, chorrea sangre de mil pavorosas maneras. Es significativo que estas representaciones abunden en el siglo XVIII, siglo en que el indio y el mestizo, ejecutantes casi siempre anónimos, empiezan a imprimir al arte religioso su carácter y mentalidad. Y el hecho de encontrarse esas pinturas y esculturas sobre todo en las humildes iglesias pueblerinas, en aldeas de población indígena al margen de la civilización urbana, admite la conclusión de que el martirio que el hombre inflige al hombre es una experiencia honda y primordialmente arraigada en el mundo sentimental del indio; y que el Cristo es tan particularmente adorable para él porque siente la tortura como algo muy suyo. No cabe duda de que tal "patetismo del dolor material" —permítaseme citar esta frase de Werner Weisbach en el libro *El arte del barroco*— procede del realismo o, más bien, del verismo español, que se complace "en recargar

HUMBERTO SPÍNDOLA. *PERFORMANCE* DE MICTLANTECUHTLI, 1993. VESTUARIO EN PAPEL DE CHINA. COL. DEL AUTOR.

la idea de la vida con imágenes de lo sangriento, lo terrible y espantoso". Pero tampoco hay duda de que México se apoderó del tema con intenso fervor —comparable al fervor con el que se adueñó del estilo churrigueresco para dotarlo de la pompa y exuberancia que corresponde a su propia idiosincrasia— y que el Nazareno colonial no es una simple variante del español, sino una creación independiente, obra de una sensibilidad específicamente mexicana. "En los Cristos misérrimos de aullidos, de sudor y de sangre, encontramos, con la puntualidad infalible de lo extraordinario, gran parte de la dramática mitología indígena anidando, con forzado confort, en la exigua y lamentable imagen de la aldea", dice Cardoza y Aragón en su libro *Pintura mexicana contemporánea*. ☀ Angustia de vivir. Recordemos las palabras —escritas en el *Códice Florentino*— que el padre nahua decía a su hijita cuando ésta llegaba a la edad de seis o siete años: "Aquí en la tierra es lugar de mucho llanto, lugar donde... es bien conocida la amargura y el abatimiento. Un viento como de obsidianas sopla y se desliza sobre nosotros... no es lugar de bienestar aquí en la tierra, no hay alegría, no hay felicidad". ☀ Y recordemos también la obra maestra de un pintor de nuestros días, *Tata Jesucristo* de Francisco Goitia, quien, hablando de las dos mujeres representadas en su cuadro, dice: "Están llorando lágrimas de nuestra raza, penas y lágrimas nuestras, diferentes a las de los otros. Toda la congoja de México está en ellas". Lo que las hace sollozar es la vida, el dolor de la vida, la incertidumbre que es la vida del hombre en la tierra. ☀ El México antiguo no temblaba ante Mictlantecuhtli, el dios de la muerte; temblaba ante esa incertidumbre que es la vida del hombre. La llamaban Tezcatlipoca. ☀

PÁGINAS 36 Y 37:
JOSÉ GUADALUPE
POSADA.
*CALAVERA DE
DON QUIJOTE Y
SANCHO PANZA.*

PAUL WESTHEIM. Historiador nacido en Alemania (1885) y muerto en la ciudad de México (1963). Fue perseguido por los nazis y se exilió en París. En 1940 se alistó para combatir la invasión alemana. Llegó a México en 1941. Entre sus obras se encuentran *Arte antiguo de México*, *Ideas fundamentales del arte prehispánico en México*, *Obras maestras del México antiguo* y *La calavera*, de donde fue extraído este fragmento.

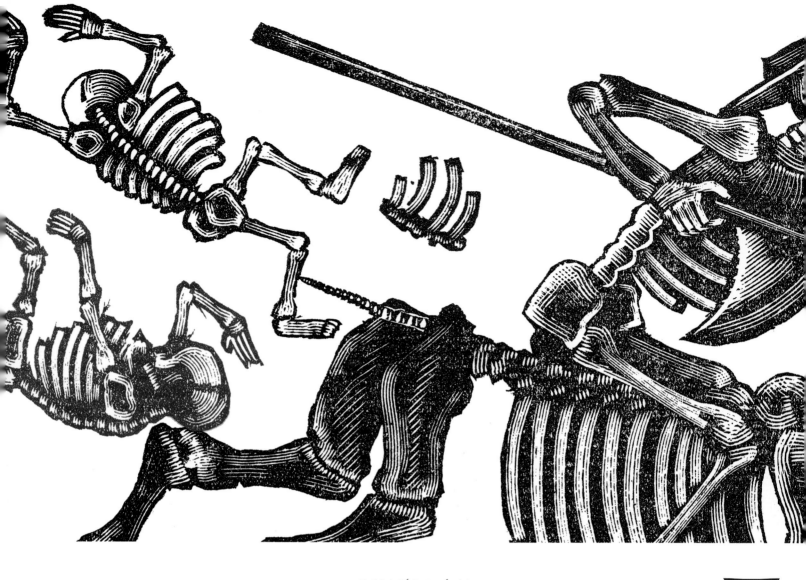

LAS CALAV
DE JOSÉ GUAD

Imposible entender la estética mexicana de la calavera sin la obra del grabador decimonónico José Guadalupe Posada. Sus esqueletos ejercen una especial fascinación en quien los contempla, pues, al aproximarse a la muerte desde una perspectiva lejana a la

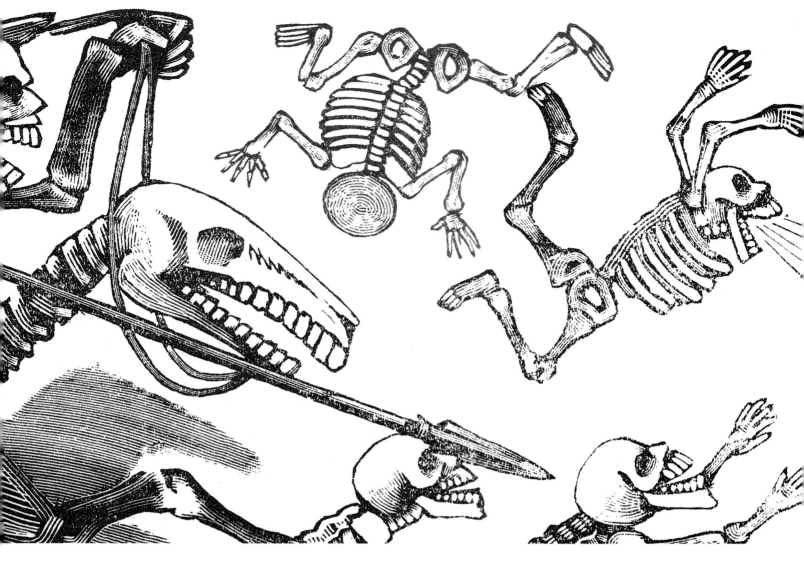

Luis ♦ Cardoza ♦ y ♦ Aragón

VERAS
LUPE POSADA

RELIGIOSIDAD, NOS OFRECEN UNA VISIÓN DE ÉSTA RESIGNADA E IRÓNICA. EN

ESTE ENSAYO, EL AUTOR EXPLORA LAS POSIBLES FUENTES DE LAS QUE ABREVAN

ESTAS CALACAS, Y REFLEXIONA EN TORNO A DICHAS OBRAS, EN LAS QUE

MUERTE Y VIDA SE EXPRESAN EN EL LENGUAJE POPULAR.

José Guadalupe
Posada.

*Calavera Las
bicicletas.*

osé Guadalupe Posada (Aguascalientes, 2 de febrero de 1851) nació cuando
la tremenda herida de la intervención norteamericana de 1847 sangraba a
borbotones: México había perdido más de la mitad de su territorio; vivió en
su niñez y adolescencia las convulsiones causadas por las leyes de Reforma,
la Intervención francesa y las luchas de Juárez; la dictadura de Porfirio Díaz,
y la gestación y el triunfo inicial de la Revolución con la entrada de Madero
a México. Cuando Huerta traiciona y asesina al presidente Madero, Posada había muerto semanas antes (ciudad de México, 20 de enero de 1913) como
había vivido: casi solo y pobremente, después de haber trabajado en numerosos periódicos, en ilustración de libros, carteles de corridas de toros, circos,
teatros, etcétera. ❀ Posada no era un artista que se acercaba al pueblo. Para
empezar, seguramente no se creía artista. Ignoraba su estado de gracia cotidiano. No olvidemos la integración —perdón por la palabra— con el autor
del "corrido" (Constancio S. Suárez, y otros, posiblemente) y con la gracia
del tipógrafo. Tenían la sensibilidad de lo que eran: pueblo mexicano; la imaginación,
el sentido de su fabulación, el genio o la inteligencia de objetivar, de darle forma con las
ilustraciones, las palabras, el tono, el ritmo de los cantadores populares. Es decir, estos
hombres no se acercaban al pueblo, no eran populares: eran pueblo. [...] ❀ Sus calaveras no sólo tienen connotación crítica o satírica; tienen también connotación elogiosa o
festiva: su aprovechamiento común en México antes de Posada y después de él, por la
gran popularidad que les dio —"el tótem nacional", escribió Juan Larrea— alcanzó a ser
la característica más honda y original del arte popular mexicano. ❀ La muerte es tema
universal de la expresión humana. El sentido con que se le cuida, la familiaridad, la ternura, la sencillez con que México considera la muerte, su obsesión que, no siendo trágica
ni fúnebre, sino nupcial y natal, su cotidianidad inmediata, su visibilidad imperiosa y
serena, su risa manante más que un gemido, encierran la sabiduría no aprendida de una
concepción cósmica y lúdica, como perpetuamente maravillada, peculiarísima de Méxi-

José Guadalupe
Posada.
*El jarabe en
ultratumba.*

Derecha:
Saulo Moreno.
Ciclistas
acróbatas.
Papel
aglutinado y
pintado, sobre
armazón de
alambre.
Ciudad de
México, 1970.
Colección Ruth
D. Lechuga de
Arte Popular/
Museo Franz
Mayer.

co y que proviene de tradiciones precortesianas entretejidas con las del medievo europeo, con sus danzas macabras y juicios finales; pero la muerte mexicana, una muerte vital, un canto a la vida, sublimada en los sacrificios, no nos trataba como hombres, sino como dioses. ❋ Las calaveras de Posada —*tzompantlis, coatlicues* desgranadas— son el motivo más profundo y revelador de su obra y de sí. El extranjero parece escuchar hoy, mejor que el mexicano, lo que vive detrás de ese narcisismo de la muerte. La claridad de la intención evidencia un hambre secular de lo sagrado, la estratificación del mito, macerado en lo reflexivo y en lo más fantástico. Ante el absurdo de la muerte no cabe la tragedia, sino el humor, y a sus preguntas responde con jovialidad. La muerte se responde sus propias preguntas. Su respuesta: la certidumbre de que ella, la muerte, es para siempre. Y estalla una rebelión mágica en la cual hombres y mujeres y niños y animales se despojan no sólo de sus máscaras, también de sus carnes; ya no desollados, sino roídos por un tiempo que los relojes no pueden ni soñar. Se reconquista la identidad definitiva; el yo se vuelve todos, y no sólo el otro. Esta salida matinal hacia lo primigenio, Posada la hace para nosotros sin sospecharlo, como el mago de feria que saca del pañuelo palomas de verdad. ¡Cuánto se divertía Posada leyendo los homenajes, visitando sus exposiciones nacionales e internacionales, alelado como el mago de feria cuya suerte de ilusionista dejó de ser apariencia! Posada ignora que se acuerda, y busca su nivel como el agua, sin escuchar mandato alguno, dentro de una semejanza íntima y oculta que no es un aire de familia: es un huracán de familia. Este Posada —con la oreja puesta sobre la tierra, oyendo su latido—, es el que más me emociona. Aquí está la sed de ser piedra y de no serlo: sus palomas reales. Sed desmesurada de una "cruda" remotísima y sin término. No sabe que se acuerda. Sus calaveras se apoyan en las incandescentes sílabas erguidas de un lenguaje oscuro que sobre la finitud han balbuceado todos los hombres. Hay una nublada conciencia libertadora de la servidumbre del hom-

JOSÉ GUADALUPE
POSADA.
*Calavera
zapatista.*

PÁGINA SIGUIENTE,
ABAJO:
MUERTE FLORIDA.
PAPEL
AGLUTINADO Y
PINTADO, SOBRE
ARMAZÓN DE
ALAMBRE.
CIUDAD DE
MÉXICO.

❖ POR LAS ORILLAS DE CUAUTLA
FLOTA UNA HORRIBLE BANDERA,
QUE EMPUÑA LA CALAVERA
DEL AGUERRIDO ZAPATA.

AL SONAR LAS DOCE EN PUNTO
MONTA EN UN BRIOSO CORCEL,
ESE INDOMABLE DIFUNTO,
SALE CRUZANDO CON ÉL.

Y ATRAVIESA AL TROTE BRUSCO,
ESAS BASTAS SERRANÍAS
Y SE LLEGA HASTA EL AJUSCO,
CENTRO DE SUS CORRERÍAS.

Y ALLÍ PARTE PARA EL CERRO
DONDE SU TESORO GUARDA,
QUE ES LLAMADO DEL JILGUERO,
Y ALLÍ DEL CUACO SE BAJA.

DOBLA SU NEGRA BANDERA
QUE ES SIGNO DE MUERTE AIRADA,
PUES TIENE EN MEDIO PINTADA
UNA HORRENDA CALAVERA.

Y DICE: —PACIENTE AGUARDO
EL COMERME ESE POLLITO
CON MI BUEN CUATE GUAJARDO,
Y ASÍ LO HAREMOS EN MOLITO.

GUISADO CON LAS CANILLAS
QUE A DOCENAS RESULTARON
EN LOS TRENES QUE ASALTARON
MIS VALEROSAS GAVILLAS.

¡TIEMPOS FELICES AQUELLOS
EN QUE GOZABA DE VERAS!
¡CUÁNTOS MONTONES CON ELLOS
HICIMOS DE CALAVERAS!

bre a la muerte, la obsesión creativa de un "corazón que está brotando flores en la mitad de la noche", himnos a la noche de una muerte no llorada sino sonreída, florida y cantada, con la lira y el arco heraclitanos. La comunión, cuando devoramos el cráneo de azúcar, es un ritual desprevenido, apenas transpuesto, del erotismo de los sacrificios. Nos penetramos en busca de un orden que requiere la única realidad pura, la realidad de la muerte, o la comunión con ella. La muerte y la vida son en México una medalla tan tenue que sólo una cara tiene. El agua bendita sobre el ascua de la pasión azteca alumbra, llama, y la cruz en la frente del miércoles de ceniza mézclase con la sangre de los sacrificios: tal confluencia ocurre en las calaveras de Posada, con la naturalidad del mar de fondo de la inocencia, en la golosa tarascada del niño a la calavera de azúcar. ❋ Posada, en primer término, después Orozco y los grabadores del Taller de Gráfica Popular, con Leopoldo Méndez a la cabeza, se valieron de las calaveras en las sátiras, en las odas populares (*Corrido de Stalingrado*, de Leopoldo Méndez, por ejemplo), con una amplitud de sentimientos y pensamientos en que la calavera se empleó no sólo por la fecha en que el Taller las hacía y las sigue haciendo (2 de noviembre, día de Muertos), sino porque ejercen una gran fascinación sobre la fantasía popular. No son temas peyorativos del arte popular mexicano —las calaveras de azúcar, los féretros de dulce, las tibias y los fémures de caramelo, los judas, las máscaras, los muñecos de cartón, etcétera—, por la vehemencia del recuerdo y por el sabor de tal orientación. ❋

LUIS CARDOZA Y ARAGÓN. Nació en Guatemala y murió en la ciudad de México (1904-1992). Vivió en México desde 1952. Colaboró en *Contemporáneos*. En 1979 se publicaron sus *Poesías completas y algunas prosas*. Fue crítico de arte y sobre arte mexicano escribió: *Rufino Tamayo*, *Pintura mexicana contemporánea*, *Orozco*, *México, pintura activa*, *Arte mexicano de hoy* y *José Guadalupe Posada*. En 1979 recibió la Órden del Águila Azteca. Doctor Honoris Causa por la Universidad de San Carlos, en Guatemala.

LA CALAVERA

DEL EDITOR POPULAR
ANTONIO VANEGAS ARROYO

Ésta sí es la calavera
Del editor popular,
Más fachosa y salamera
Como nunca la han de hallar.

Él fue quien nos publicaba
Mil primores de poesía,
Quien nuestra vida endulzaba
Y llenaba de alegría.

Historias extravagantes,
Oraciones fervorosas;
Sucesos espeluznantes
Y comedias muy hermosas.

Tenía preciosas historias,
Que al más triste hacían gozar,
Y dejaba en las memorias
Un recuerdo singular.

Y sigue siempre vendiendo
Sus ediciones modernas
Y todos siguen leyendo
Esas lecturas eternas.

Los alegres sin medida,
Leyendo sus oraciones
Sentían tan corta la vida
Que prendían sus corazones.

Si tú gustas, valedor,
La dirección te daré,
Cuando vayas al panteón
Al despacho te enviaré.

Los niños agradecidos
Sus cuentos leyeron ya,
Que son tan entretenidos
Que los lee hasta su papá.

Y compras tus calaveras
Y cuadernos de canciones,
Y jotas y peteneras
Que alegran los corazones.

Y millares de folletos,
Y bibliotecas enteras,
Que llevó a los esqueletos
Y a todas las calaveras.

Todo se vuelve gozar,
Ni quien recuerde la vida...
Y quien no sepa cantar
Nomás un cuaderno pida.

Lo que es de hoy en adelante
El cementerio será
La invitación más galante
Que cualquier mortal hará.

Y aprenderá mil cantares
Y olvidará con razón
La soledad, los pesares
Y tristezas del panteón.

Allá encontraréis gustosos
Mil lecturas agradables,
Mil cuentos maravillosos
Y versitos admirables.

Si este año no quieres ir,
Te esperaré el año entrante
Para que cuando vuelva a venir...
¡tú ya estés pata adelante!

ANTONIO VANEGAS ARROYO. Nació en Puebla y murió en la ciudad de México (¿1852?-1917). Editor. Instaló su imprenta en 1874, en la cual publicó oraciones, corridos, cuentos, canciones y calaveras, frecuentemente ilustradas por José Guadalupe Posada.

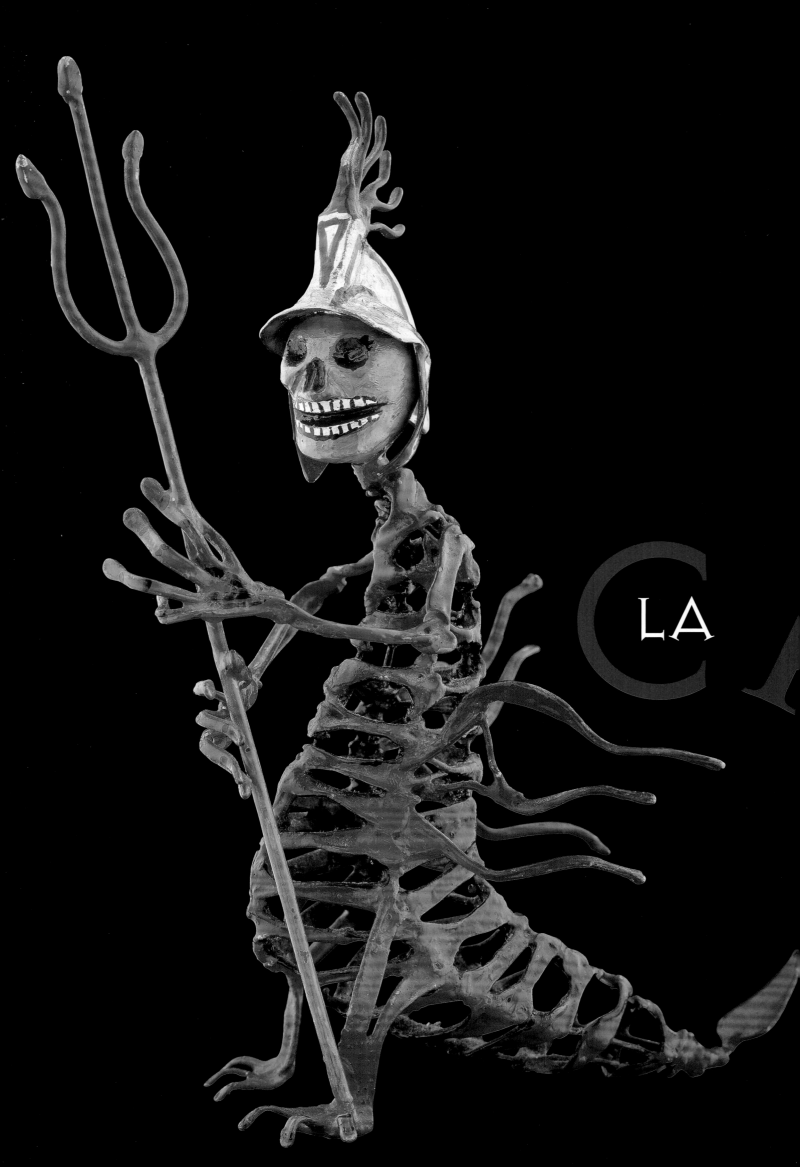

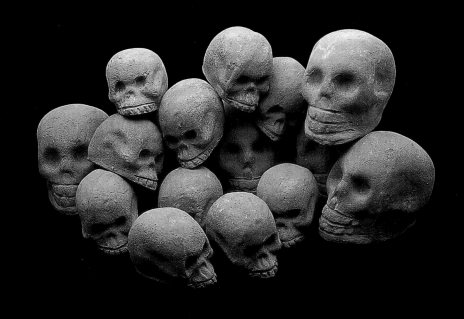

CALACA

Ruth ◆ Lechuga

La importancia de la calaca como motivo del arte popular mexicano trasciende la fiesta del día de Muertos. En este artículo, la autora nos ofrece un recorrido por las más diversas manifestaciones artesanales de las calaveras —relacionadas o no con la celebración de los primeros días de noviembre— y nos da cuenta de una interesante paradoja: en México, la muerte es un personaje vital que se reinventa día con día.

JUGAR CON LA MUERTE

ABAJO:
MUERTE
EN BAÑERA.
BARRO
MODELADO,
COCIDO
Y PINTADO.
COLECCIÓN RUTH
D. LECHUGA DE
ARTE POPULAR/
MUSEO FRANZ
MAYER.

No se sabe cuándo se originó la tradición de hacer juguetes de muertos. Desde luego ya existía a mediados del siglo XIX, según da cuenta la detallada descripción de Antonio García Cubas, por lo que es probable que sea una costumbre más antigua. ✳ Algunos se destinan a la ofrenda de día de Muertos dedicada a los niños que han fallecido, con el fin de que los pequeños tengan con qué jugar durante su visita a la tierra. Pero en muchas otras ocasiones se hacen para los niños vivos, quienes juegan encantados con las tumbitas de varios pisos, los entierritos, los padrecitos con cabeza de garbanzo, las ofrenditas y con muchos otros objetos más de esta índole. ✳ Los esqueletos ocupan un lugar importante entre estos juguetes. Las calacas hacen frecuentemente tareas que acostumbran realizar los vivos: la mecanógrafa teclea afanosamente en su máquina de escribir, una señora muele el nixtamal en su metate, otra hace tortillas, un escritor llena página tras página con sus ideas, otros venden toda clase de artículos, unos novios están a punto de casarse; hay algunas calacas que toman encantadas un baño de espuma, y otras que lucen diferentes tocados en la cabeza: como de cocinero, de torero, de catrín con gran chistera, de mujer con el pelo enrollado sobre grandes tubos... También dentro de estos esqueletos hay los que yacen dentro de su tumba y se asoman al jalar un hilo. ✳ Otra importante tradición son las calaveras de azúcar. Las hay de muchos tamaños y frecuentemente están decoradas con algún sombrero o con muchas flores del mismo material. Estas piezas suelen regalarse a los amigos, o a los novios, y llevar pegado en la frente el nombre de quien la recibirá. Además de la ciudad de México, un centro importante para la elaboración de estas piezas es Toluca, aunque otros lugares del Estado de México, como Tenancingo, también las producen. ✳ Pero la importancia de la calaca como motivo de

ARRIBA:
RODRIGO
PIMENTEL.
MUERTE HIPPY,
1968.
TINTA SOBRE PAPEL.
24.5 X 34.5 CM.
COL. DEL AUTOR.

PÁGINAS 42 Y 43:
SAULO MORENO.
ESQUELETO
DE ANIMAL
FANTÁSTICO.
PLOMO FUNDIDO Y
PINTADO.
CIUDAD DE
MÉXICO, 1983.
COLECCIÓN RUTH
D. LECHUGA DE
ARTE POPULAR/
MUSEO FRANZ
MAYER.
ARRIBA:
CRÁNEOS
DE BARRO.

arte popular trasciende los objetos creados para el día de Muertos. El esqueleto es motivo usual en los Judas de papel aglutinado, tradición de Semana Santa aún importante en la década de 1960. Aquellas figuras enormes, de cuatro metros o más de altura, eran compradas por las grandes tiendas y decoradas con algunos regalos. A las 11 de la mañana del Sábado Santo y cuando las campanas de la iglesia tocaban para anunciar la gloria, estas piezas eran estalladas como juegos pirotécnicos, y los espectadores se abalanzaban para tratar de adueñarse de algunos objetos. También se hacían y todavía se hacen Judas más pequeños, muchos de los cuales tienen forma de esqueleto. ✻ Varias generaciones de la familia Linares en el Distrito Federal son importantes juderos. Pero también hacen conjuntos decorativos de calacas en diferentes situaciones. Por ejemplo, en 1986, en el Museo Nacional de Artes e Industrias Populares, se podía apreciar una escena llamada "La muerte temblorosa", ejecutada por estos artesanos en recuerdo del gran temblor del año anterior. En aquella representación los esqueletos simulaban ser "los topos" en acción, los ciudadanos que ofrecieron su valiosa ayuda para salvar a los heridos que lograron sacar de algún edificio caído, pero también simulaban a los ladrones que aprovecharon la situación para llevarse alguna televisión u otros objetos de entre los escombros. ✻ Al igual que los Linares, muchos otros artistas populares hacen figuras de calacas que, aunque ya no forman parte de la tradición del día de Muertos, aún nos hablan del desafío plástico que el motivo del esqueleto ha suscitado entre los creadores mexicanos. En Metepec, Estado de México, los habituales árboles de la vida se transforman en árboles de la muerte. Habitante de la ciudad de México, Roberto Ruiz, quien es Premio Nacional de Ciencias y Artes en la rama de Artes y Tradiciones Populares, prefiere para sus miniaturas el tema de la muerte. Sus piezas son talladas en hueso con una inacabable variedad de formas. Otro artista que se dedica al tema de la muerte es Saulo Moreno, quien elabora sus figuras con alambre y papel. ✻

DANZAR CON LA MUERTE

Pero la calaca no sólo ha dado pie a infinidad de objetos de arte popular. En algunas festividades cobra vida en danzantes vestidos de negro, con los huesos pintados en blanco y una máscara de calavera. ✻ Aunque durante el 1 y 2 de noviembre se danza en algunos pueblos, las danzas celebradas en estas fechas no siempre tienen como personaje a una calaca. Sin embargo, en Tepoztlán, Morelos, los niños bailan con su esqueleto de vara y papel de china que a menudo es más alto que su acompañante. ✻ El personaje principal de la danza del "Tecuán" —que se baila en distintas ocasiones— es el tigre; sin embargo, en Acatlán, Puebla, también existe un esqueleto. De hecho, no hay límite para que la calaca participe en una danza. ✻ El esqueleto es un personaje importante en algunas danzas derivadas de los autos moralizantes, con los que los misioneros enseñaban la religión a los indígenas. Entre estas danzas podemos citar "Las tres potencias", "Los mudos", "Los siete vicios", "Los san Miguelitos" y "Los diablos", y otras. El estado de Guerrero es especialmente rico en estas manifestaciones. En la versión de Tixtla de la danza de "Los diablos", por ejemplo, se escenifica la caída de Lucifer del cielo, mientras que en la montaña un

ESQUELETO PARA
DANZA.
CARRIZO FORRADO
DE PAPEL DE
CHINA, UNIDO CON
AMARRES.
TEPOZTLÁN,
MORELOS, 1958.
COLECCIÓN RUTH
D. LECHUGA DE
ARTE POPULAR/
MUSEO FRANZ
MAYER.

grupo de diablos pelea alternativamente con mujeres y con muertes. También vemos a la calaca en pastorelas, otro tipo de auto moralizante. Esto sucede por ejemplo en Colima. ❋ En algunas danzas de Semana Santa, los judíos o fariseos que matan a Jesucristo usan máscaras, que en algunos pueblos aluden a las fuerzas nocturnas que cada fin de año salen para apropiarse de la tierra. El Sábado de Gloria, con la resurrección de Cristo, se liquidaba el peligro que estas fuerzas representan. Entre los judíos, la muerte es un personaje muy frecuente, aunque no tiene un papel específico en la danza. Algunos lugares en donde esto sucede son El Doctor, Querétaro; Tanlajás, San Luis Potosí; San Bartolo Aguacaliente, Guanajuato, y Jesús María, en Nayarit. ❋ El Carnaval es otra fiesta en la que es común apreciar calacas. Los tejorones, que danzan en esta fiesta en la costa mixteca de Oaxaca, interpretan diferentes escenas, como la cacería de un tigre, el nacimiento de un niño o las peleas entre un viejo y una muerta, donde a veces gana el viejo. ❋ En Naolinco, Veracruz, uno de los moros de la danza de "Moros y cristianos" usa máscara de calaca. En la meseta tarasca de Michoacán el cambio de mayordomía se acompaña con la danza de los "Viejitos", que tiene dos versiones: los "Viejitos bonitos" y los "Viejitos feos", que son una burla de los primeros. La maringuilla —el personaje femenino que deriva de La Malinche— de estos últimos, en San Juan Nuevo, es una calavera. ❋ Todas estas representaciones del esqueleto dan cuenta de la inagotable creatividad de los artistas populares, tanto para los objetos tradicionales como para los decorativos, y aseguran que la tradición mexicana de las representaciones de la muerte, lejos de extinguirse, encuentre cada día nuevas y valiosas expresiones plásticas. ❋

RU+H D. LECHUGA fue investigadora de arte popular y fotógrafa por más de 50 años. Durante ese tiempo creó un museo de arte popular con su colección, al que está dedicado el número 42 de *Artes de México*. Publicó *Traje indígena de México* y *Las técnicas textiles del México antiguo*, entre otros. En la colección Uso y Estilo, el título *Ruth D. Lechuga, una memoria mexicana* rescata la obra fotográfica de esta autora. A su muerte, donó a Artes de México su archivo fotográfico con más de 20 000 negativos.

ESQUELETOS
VESTIDOS COMO
PERSONAJES DE LA
VIDA COTIDIANA.
BARRO MOLDEADO,
COCIDO Y
PINTADO.

PÁGINA SIGUIENTE:
LUIS NISHIZAWA.
JUDEROS, S.F.
ÓLEO SOBRE
MADERA.
60 x 45.5 CM.
CORTESÍA
FUNDACIÓN
ANDRÉS BLAISTEN.

RECUERDO, DESCU

¿Cómo se transforman las tradiciones al confrontar una nueva realidad? ¿Qué rasgos nuevos adquirió la celebración del día de Muertos al otro lado de la frontera norte? ¿Qué significa para los migrantes continuar con esta entrañable tradición? En estas páginas, el autor nos plantea varias respuestas para estas interrogantes.

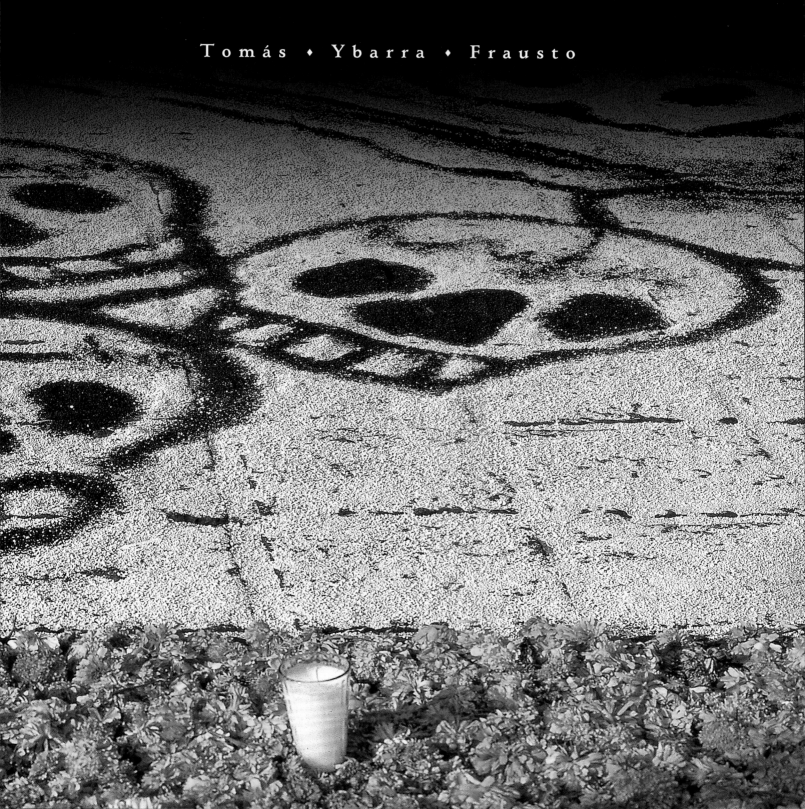

BRIMIENTO
Y VOLUNTAD:
COSTUMBRES CHICANAS DEL DÍA DE MUERTOS

Tomás ◆ Ybarra ◆ Frausto

Página siguiente:
Ofrenda en la
Plaza de Santo
Domingo.
Ciudad de
México, 2002.

os mexicanos que viven en Estados Unidos mantienen y transforman su cultura ancestral de manera dinámica, fluida y creativa. Dentro de la comunidad mexicana los patrones culturales se manifiestan con heterogeneidad y diversidad; existen factores regionales, de clase y género, así como históricos, que influyen en la supervivencia y el cambio cultural. ☀ Las costumbres mexicano-chicanas del día de Muertos se remontan a orígenes milenarios, a la vez que incorporan actitudes biculturales contemporáneas, y vaticinan formaciones culturales venideras. Son, al mismo tiempo, celebraciones de vida y rituales de recuerdo, descubrimiento y voluntad. ☀

EL RECUERDO

El día de Muertos es la fecha del recuerdo, cuando los vivos se relacionan con sus muertos de manera directa y familiar. ☀ El activismo sociopolítico de los chicanos durante las décadas de 1960 y 1970 creó un movimiento masivo de regeneración nacionalista, de recuperación y reclamación cultural. Las tradiciones mexicanas y del suroeste de Estados Unidos fueron incorporadas por los obreros de las comunidades, quienes las revitalizaron y les dieron nuevos significados dentro de diversos contextos. Un ejemplo espectacular de este proceso de transformación cultural fue la recuperación y reinvención del día de Muertos por grupos de artistas y centros artísticos comunitarios. Una de las primeras tradiciones en ser resucitada fue la de las calaveras creadas por José Guadalupe Posada. Estas figuras esqueléticas y cómicas pasaron a ser parte del vocabulario visual de los chicanos en sus carteles, murales y otras formas de expresión plástica. ☀ Inspirándose en estas calaveras, el Teatro Campesino formó una "Banda calavera": un alegre y ruidoso conjunto musical disfrazado de calaveras, que recorría el barrio anunciando las funciones de los teatros. Pronto, en muchos de los actos creados por el Teatro Campesino, aparecieron las calacas brincando y haciendo maromas en los escenarios, y posteriormente en las funciones de muchos otros grupos de teatro por todo el país. ☀ El panteón de las calaveras de Posada tampoco tardó en hacer su aparición en las ilustraciones de los periódicos de la comunidad y en las revistas de los estudiantes en los colegios y universidades. La tradición de imprimir las calaveras, tanto de versos satíricos y burlones como de ilustraciones, que se había mantenido en las comunidades mexicano-chicanas de las urbes desde la vuelta del siglo XX, se vio así reforzada y expandida. La impresión por lo general corre a cargo de particulares, y es financiada por los comerciantes locales. ☀ Otra tradición mexicana antigua que se reinventó de este lado de la frontera es la de la ofrenda. En las comunidades mexicano-chicanas las ofrendas tienden a ser celebraciones colectivas creadas por artistas

Páginas 48 y 49:
Ofrenda de
arena pintada.

en espacios públicos, tales como centros culturales, galerías o museos. La estética individual y el oficio de los artistas profesionales han dado como resultado la reinterpretación de la tradicional ofrenda, y la han vuelto una visión fantasiosa, política y personal. La forma del altar se mantiene no tanto por su contexto religioso, sino simplemente como un marco de referencia funcional para exhibir la acumulación de múltiples capas de objetos. Aunque aún se utilizan elementos tradicionales tales como velas, flores, comida, imágenes de santos y fotografías de los fallecidos, las ofrendas de los chicanos siempre incluyen objetos extraídos de su experiencia bicultural. ❀ Mientras que el movimiento chicano revitalizó muchas tradiciones mexicanas tanto folclóricas como artísticas, también rescató patrones y costumbres culturales sedimentadas en los viejos asentamientos mexicanos del suroeste de Estados Unidos. Mediante nuevos, audaces y fuertes rituales comunitarios, así como por desfiles y festivales que recuerdan la muerte, lo viejo y lo nuevo se mezclan para destacar el eterno ciclo de la vida y la muerte. ❀

LA VOLUNTAD

Si las décadas de 1960 y 1970 fueron periodos de recuerdo y descubrimientos culturales, la de 1990 fue una época de afiliación política para los mexicano-chicanos, así como para otros grupos latinos de Estados Unidos, y de conexiones culturales con otros grupos subalternos de todo el mundo. ❀ Dentro del panorama multicultural de este país, los mexicano-chicanos pudieron profundizar sus vínculos con la cultura mexicana ancestral y establecer un diálogo cultural nuevo y más maduro con el México actual. La película *La ofrenda*, de Lourdes Portillo, representa con gran belleza algunos de los indicios de esta nueva interrelación con México. Esta cinta, que traza las tradiciones del día de Muertos en ambos lados de la frontera, es un retrato de la recuperación cultural y de la habilitación de su poder mediante la recreación de esta tradición. *El collage* de voces de la pista de sonido de la película nos permite enterarnos de las actitudes actuales de los mexicano-chicanos con respecto al día de Muertos: ❀ Concha Saucedo: Para nosotros, el día de Muertos es cuando nuestros ancestros nos visitan, y es la fecha que nos conecta con nuestro pasado cultural... Y para la gente que está separada de su país —porque estamos en una cultura ajena, aun para los que nacimos aquí— se vuelve una forma muy importante de la comunidad misma. ❀ Amelia Mesa Bains: Los chicanos hemos revivido y adoptado el día de Muertos. El pasado es una fuente inagotable de nostalgia activa. Nuestras celebraciones pueden tener diferente forma que las de México; pero el espíritu de la tradición pervive. El arte tiene que ver con curar: cuando la gente participa en una expresión artística como ésta, cuando la hace y la ve, es como si se curara de algo. ❀ Concha Saucedo: Decir que "la cultura cura" significa que la cultura nos alivia. Esencialmente esto quiere decir que hay elementos en todas las culturas que, si se les preserva, dan salud a la gente, en particular a los latinos. Nosotros nos hemos tenido que separar de esa cultura, y esa separación ha creado un desequilibrio que es, en efecto, una "mala salud". Y cuando decimos que "la cultura cura", estamos diciendo "regresa a tu cultura", mantenla. ❀ Nuestra lucha es también una batalla de la memoria contra el olvido. Debemos redimir y reclamar el pasado de manera que transforme la realidad actual. ❀

CHINA POBLANA.
BARRO COCIDO
Y PINTADO.

TOMÁS YBARRA FRAUSTO. Connotado catedrático y ensayista de la cultura mexicano-americana. Actualmente es director asociado de cultura y creatividad de la Rockefeller Foundation en Nueva York.

NOVIA DE AZÚCAR

Ana • García • Bergua

CATRINA.
PAPEL
AGLUTINADO Y
PINTADO, SOBRE
ARMAZÓN DE
ALAMBRE.
COL. PARTICULAR.

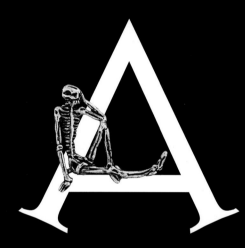

Rosenda la atraje con unos cirios rodeados de grandes rosas que había colocado en el altar de muertos. Ese año se me ocurrió adornarlo sin incienso ni calaveras; más bien parecía, me dijeron los vecinos, un arreglo de boda, debido al pastel y a la botella de champán, en vez del clásico tequila o la cerveza. En medio acomodé el retrato de Rosenda y otro más que encontré en el baúl de mi abuela. Supuse que había sido pariente nuestra y que por algo merecería regresar. ✻ Me metí a la cama y fingí dormir durante varias horas. De repente, en la madrugada, escuché ruidos como de ratón. Junto al altar me encontré a Rosenda comiendo con glotonería el pastel de bodas. Su sayo blanco, algo raído ya, ceñido a la cintura y escotado de acuerdo con la moda que le tocó vivir, estaba manchado de crema y migajas. Nadie la había traído jamás, me dijo, desde su muerte; siglos creía llevar sumida en una oscuridad con olor a tierra. ¿Cuánto tiempo ha pasado?, me preguntó sorprendida. No demasiado, le respondí, sin aclararle cuánto. Era una mujer bella, de carne generosa, con una llama de temor en la pupila. Contra su pecho estrujaba unos crisantemos de tela. Le preocupaba que éste fuera el Juicio Final, que nadie la fuera a perdonar por sus muchos pecados. No te apures, susurré, quitándole el ramo, yo te perdono. La ceñí por la cintura y descorchamos champán. A cambio de que me escuchara y de poder tocarla, le ofrecí saciar la sed y el hambre de tantos años. Con eso basta, me dijo ahíta, cuando pasadas las horas empezó a clarear el día. Luego se dispuso a regresar a su tierra ignota, pero yo la encerré con llave en el armario, sin hacer caso de sus gritos y sus lamentos. Me convertiré en polvo, lo queramos o no, gritaba entre sollozos. ✻ Dejé pasar el día completo hasta que el armario quedó en silencio otra vez. Mientras, me ocupé de desmontar el altar con cierta ceremonia. Al ocaso, dispuesta ya la cena en la mesa y descorchado un tinto que recordaba la sangre, decidí sacar a mi muerta del armario, seguro de encontrarla dormida y hambrienta. Pero cuál no fue mi decepción: entre los chales de seda blanca de mi abuela yacía tirada, como empujada por el aire, una calavera de azúcar que llevaba en la frente el nombre de Rosenda de papel plateado, y que se me deshizo en polvo entre los dedos. ✻

✻ *Tomado de La confianza en los extraños, Plaza y Janés, 2002.*

PÁGINA ANTERIOR:
HUMBERTO
SPÍNDOLA.
PERFORMANCE
DE LA CATRINA,
1994.
VESTUARIO EN
PAPEL DE CHINA.
COL. DEL AUTOR.

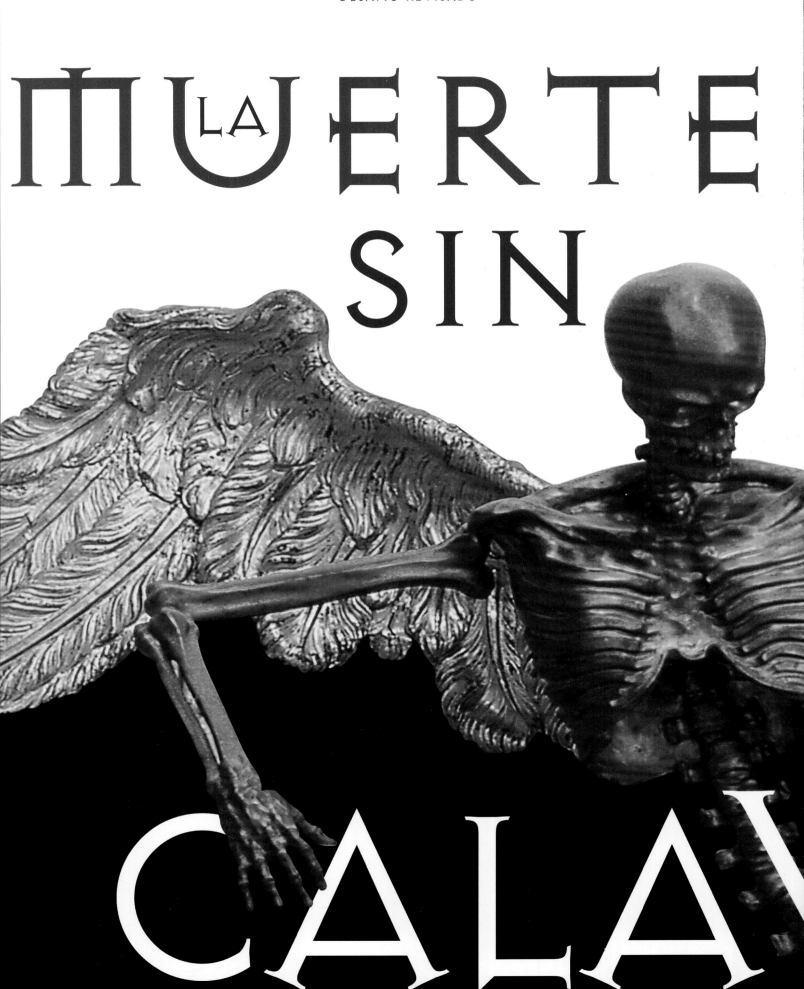

LA MUERTE SIN

CALAV

ESTE PAÍS ES, QUIZÁ, MENOS MÁGICO Y MENOS HOMOGÉNEO DE LO QUE QUIERE LA LEYEN-
DA. COMO CORRESPONDE A UNA SOCIEDAD DE TANTAS CULTURAS, HAY AQUÍ MÚLTIPLES
FORMAS DE HACER FRENTE A LA PÉRDIDA DE LOS SERES QUERIDOS, AL SUFRIMIENTO DE LA
AGONÍA, AL VÉRTIGO DE LO DESCONOCIDO. ¿DE QUÉ MANERA SE CONVIRTIERON LAS HUE-
SUDAS Y LAS CALACAS EN SIGNOS DEL NACIONALISMO MESTIZO? ¿CÓMO LLEGARON LOS
MEXICANOS A PERSUADIRSE A SÍ MISMOS DE QUE TENÍAN CON
LA MUERTE UNA RELACIÓN DE PRIVILEGIO?

VERAS

LOS MEXICANOS Y "EL MEXICANO"

Alfonso • Alfaro

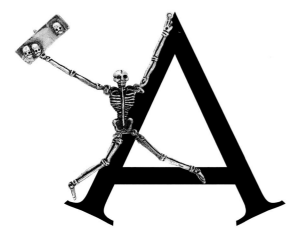

los mexicanos nos gusta sentirnos distintos, peculiares. Esta actitud no es ajena a las características del país que nuestros antepasados comenzaron a edificar desde la época virreinal. Una sociedad como ésta, que aspira a construirse como nación, necesita afectos que unan, referencias que confluyan, elementos que identifiquen a los miembros de la tribu y los distingan de los demás: retratos donde cada uno pueda reconocer, aunque sea de manera fragmentaria, rasgos de su propia imagen. ❋ A falta (por fortuna) de un vínculo sacralizado y metahistórico semejante a los que postulan las colectividades que creen en las razas o los pueblos que se sienten unidos por la sangre o por un alma común, a falta (desgraciadamente) de lazos como los que aglutinan a las sociedades fundadas en torno a un proyecto, nuestros ancestros y nuestros compatriotas han tenido que dar forma a una identidad compartida, y la han ido fabricando a lo largo de generaciones. Esa identidad se ha edificado sobre nuestra historia y sus signos, y pertenece, por tanto, a la órbita de los símbolos, las representaciones, la cultura. En México, la solidez de estos nexos de carácter cultural (imágenes vivas, recuerdos elaborados, ritos comunitarios) logra, hasta cierto punto, compensar la grave fragmentación de las redes sociales y el carácter precario y nebuloso de los objetivos comunes. ❋

LA MUERTE PATRIÓTICA:
LA CALAVERITA Y EL NACIONALISMO MESTIZO

Una memoria de cataclismos históricos (Conquista, invasiones, revoluciones) que se empalma naturalmente sobre otra, más honda, de sacudidas telúricas, aunada a una acumulación de sueños frustrados, de ilusiones desvanecidas, alentó a nuestros coterráneos a erigir uno de nuestros mitos más florecientes: el de que somos un pueblo que guarda con la muerte una relación de privilegio. Según esta fantasía colectiva, nuestra familiaridad con el infortunio nos permite obtener una secreta revancha sobre la adversidad: la carcajada. ❋ Un linaje descendiente por línea materna de un pueblo que ofrendaba corazones a Huitzilopochtli y, por vía paterna, de los iluminados que encendían las hogueras de la Inquisición, no podía ser igual a todos, pensaron los mexicanos del siglo XX. ❋ Al tiempo que se fortalecía una identidad nacional a lo largo de los "regímenes emanados de la Revolución" se fue bosquejando la fascinante imagen de un país cuyos habitantes habían recibido un trato particular por parte de los pobladores de las mansiones oscuras. ❋ El antiguo vínculo fundador de la "excepción mexicana", la alianza del Tepeyac, que hacía a los hijos de este territorio una estirpe elegida, se veía de esta manera refrendado y confirmado, y adquiría, al mismo tiempo, una sacralidad distinta, aceptable también para los herederos del laicismo liberal y republicano. Los mexicanos, según la tesis que se fue consolidando a lo largo del siglo XX, hemos obtenido sobre la sombra blanquecina que va segando, al filo de su guadaña, las esperanzas y los amores, una suerte de victoria poética: le hemos perdido el respeto y podemos mirar fijamente sus ojos vacíos, hemos convertido a la dama terrible en un personaje familiar y ridículo: una simple calaca. ❋ No se trata, por supuesto, de un verdadero triunfo como el que postula el cristianismo: el mal (del que la muerte es sólo un corolario) derrotado por un sacrificio que redime y cuyo signo es la resurrección de una persona divina ("muerte, ¿dónde está tu victoria?") sino, por el contrario, de un gesto de desafío del pequeño sobre el poderoso (un desplante parecido al gesto que los franceses llaman *pied*

❖ MUCHAS EXPRESIONES MACABRAS DE LA TRADICIÓN POPULAR MEXICANA TIENEN SU ORIGEN DIRECTO EN LAS VERTIENTES EUROPEAS DE NUESTRA CULTURA: LA MUERTE ERA EN ESOS HORIZONTES FAMILIAR Y VISIBLE. SUS SALTOS DESCOYUNTADOS SUPRIMÍAN LAS JERARQUÍAS. SU GUADAÑA NIVELABA SEGANDO LAS CABEZAS, PERO OFRECÍA UNA ESPERANZA SIN LÍMITES.

JEAN-BLAISE
SANTINI AICH
OSARIO EN
SEDLEC.
BOHEMIA,
REPÚBLICA
CHECA.

de nez), basado en una conciencia realista de los propios límites, un impulso lejanamente emparentado, quizá, con la actitud de estoicos y epicúreos. ❀ En el trazo de esa imagen de un pueblo capaz de burlarse de la muerte, de paliar el adverso destino de la especie con un regocijado exabrupto, tuvieron una participación decisiva los artistas afines al nacionalismo revolucionario (de Posada a Rivera). Ellos intentaban dotar al país de un nuevo espíritu y de un nuevo lenguaje estético. Querían que fuera moderno y progresista, exterior al horizonte de la cultura católica, que había llegado a impregnar en profundidad las expresiones del arte culto y de las tradiciones populares, y que en esa época se consideraba "retrógrada" y "oscurantista". ❀ De manera paradójica, una influencia determinante para la formación de esta nueva imagen vino en línea recta de la más cristiana de las herencias europeas: la medieval. La actitud lúdica y burlesca ante la muerte que los artistas revolucionarios preconizaron como expresión idiosincrática del alma mexicana manifiesta afinidades esenciales con las *danses macabres*. En ellas, los europeos de la Edad Media tardía expresaban a un tiempo la ambigüedad de sus relaciones con las fuerzas del panteón precristiano, todavía sumamente vivas, y aligeraban, de manera catártica, las tensiones surgidas de sus conflictos con el poder y la autoridad, en un sistema social de jerarquías fijas y casi inmutables. ❀ Estas manifestaciones, hijas a un tiempo del arte culto y del popular, tuvieron su momento de auge entre los siglos XIV y XV para dar cuenta de los crujidos de un andamiaje que iba a desplomarse. El jolgorio escalofriante de las calaveras danzantes era, pues, también el eco de las rebeliones, del hambre y de la peste que anunciaban ese otoño de la Edad Media evocado por Huizinga. ❀ Las danzas de la muerte europeas, con su iconografía grotesca y delirante, decoraban las planchas de los grabadores y los muros de los cementerios. En ellas los grandes de la tierra (tocados de corona, mitra o tiara), convertidos en descarnada osamenta ridícula y saltarina, se mezclaban con la baja plebe de sus súbditos reducidos también a la misma condición. Todas las alcurnias y dignidades de una sociedad de estamentos casi congelados (los "órdenes") se veían así allanadas por el rasero definitivo e ineludible: un destello de sabiduría que afirmaba la unicidad de la especie humana ("... *et in pulverim reverteris*"); expresión de angustia por la brevedad de la vida, gemido desgarrador producido por las zozobras de una época turbulenta, amarga revancha que estalla en risotada. ❀ Los hijos de la Revolución mexicana, en su intento por dejar atrás todo lo que fuera hispánico o cristiano, habían decidido volver sus ojos hacia lo que parecían ser las matrices alternativas de nuestra memoria cultural: el mundo precolombino y las sociedades indígenas del siglo XX. Existía un opulento sustrato cultural autónomo, que, pensaban, a pesar de las fuerzas adversas, había logrado mantenerse libre de la contaminación de las influencias europeas. Esa reserva espiritual, postulaban, se encontraba viva en las comunidades rurales, en ese pueblo campesino que había vertido su sangre en la Revolución y que aspiraba a retomar la historia en sus manos. En la óptica del arte nacionalista, las expresiones plásticas de la arqueología prehispánica y de las artes populares eran, unidas en una sola polifonía, las voces complementarias de ese canto común. ❀ El recurso a esa doble inspiración, la amalgama entre esas dos formaciones culturales en una sola imagen —como si las sociedades campesinas del siglo XX fueran herederas directas, intocadas, de las civilizaciones autóctonas; como si el pasado virreinal no hubiera sido más que un aciago paréntesis y no una experiencia fundacional de la nueva sociedad—, contribuyo poderosamente a consolidar el modelo simbólico del México revolucionario. ❀ Paul Westheim, al analizar ya desde 1953 la inquietante afinidad entre las expresiones formales del espíritu macabro medieval con las que comenzaban a convertirse en norma canónica entre los sectores progresistas de la ciudad de México, propuso una visión mucho más rica y matizada. Él recordó también —aunque sin poner en cuestión el mito naciente— el carácter grave y trágico de las concepciones de la muerte en las sociedades prehispánicas (que contrasta, naturalmente, con el ánimo bullanguero de las calacas revolucionarias). ❀ El sueño, sin embargo, era hermoso y útil (permitía a los mexicanos crear un hondo e intangible vínculo cultural, acrecentar el acervo de los elementos que parecían serles comunes y específicos) y continuó su camino haciéndose cada vez más fuerte a medida que la Revolución se convertía en objeto de culto patriótico. ❀ La principal figura intelectual mexicana del siglo XX, Octavio Paz, tuvo una influencia decisiva en la formación y consolidación de la imagen de nuestro país como un territorio de excepción en sus tratos con la muerte. En *El laberinto de la soledad*, el poeta da cuenta de su propia visión desencantada de la vida y de la historia, característica de un hijo de la alta cultura de Occidente que se reconoce en el legado de Voltaire y de Kant, pero también en el de Goya. El libro fue escrito en el lugar y la época de la eclosión del espíritu existencialista (París, 1950). ❀ Su espíritu, que era probablemente el de un agnóstico sincero y profundamente atento a la dimensión trascendente del hombre y del universo, su inteligencia reticente y crítica que lo alejó de las ilusiones totalitarias, su sensibilidad afín a la de Lucrecio y Petronio, que lo precavió de las ilusiones y las utopías, le permitieron percibir en el proyecto estético de los artistas de la generación que lo precedía una dimensión de gran nobleza, al mismo tiempo trágica y epicúrea. La muerte que aparece en la obra de Paz no es promesa de vida eterna, sino final: el sufrimiento no redime; sólo salvan —provisionalmente— el arte, el trabajo, el amor. ❀ La manera de encarar la muerte (hilarante y herida, resignada e irónica, rebelde, desesperanzada) que habían llegado a formular los artistas revolucionarios y las expresiones populares del mundo urbano de la ciudad de México fue descrita por su pluma magistral en ese ensayo que marcó profundamente la conciencia que los habitantes del país tenían de sí mismos. ❀ En su penetrante meditación sobre la realidad y el devenir de su patria, Paz dio vida a un personaje literario que le permitió ejemplificar las transformaciones de un país joven que buscaba su rumbo en esa época de futuro abierto. El nombre de este personaje había ya aparecido en nuestras letras, en particular en la obra de Samuel Ramos, pero es Paz quien le da su plena configuración y lo convierte en un hito fundamental de nuestra cultura. ❀ "El Mexicano" de quien habla el autor de *El laberinto de la soledad* no es un prototipo que tenga funciones de muestra representativa de todas las poblaciones del país (semejante a los que podrían proponer la sociología o la estadística) sino, por el contrario, como él lo declara explícitamente, es un rostro inspirado en uno solo de los grupos humanos que lo habitan: el hombre perteneciente a las generaciones posrevolucionarias, consciente de su sociedad, empeñado en construirse como sujeto, comprometido con la edificación de México. ❀ Los mexicanos mestizos, todavía impregnados del espíritu barroco, pero ansiosos de modernidad, recientemente despojados de sus horizontes comunitarios armónicos y securizantes y, por lo tanto, empeña-

FACHADA DE UNA IGLESIA CONSAGRADA A LAS ÁNIMAS DEL PURGATORIO. GRAVINA, ITALIA.

...los en la búsqueda de referencias simbólicas, preocupados por dar a su patria un lugar digno, acorde con los ideales de grandeza heredados de los criollos del Virreinato, fueron escogidos (entre la enorme variedad de pobladores del país) para servir como modelos a partir de los cuales el gran poeta y ensayista construiría un espléndido personaje literario: "El Mexicano", ese hijo bastardo de la Malinche cuya alma desgarrada estalla en el Zócalo con los fuegos de artificio la noche del 15 de septiembre y que se atraganta, entre sollozos y carcajadas, con el pan de muerto. ❀ Esa imagen era el retrato vivo, trazado por un artista egregio, de ciertos sectores urbanos y específicamente capitalinos, cuyos rasgos se mezclaban con los de un sujeto ideal en busca de anclaje entre las culturas herederas de las Luces y el Romanticismo. Los lectores de *El laberinto de la soledad* (pertenecientes a la franja inquieta y culta de la población e hijos espirituales del liberalismo del siglo XIX) se reconocieron fascinados en ese personaje de arraigos inmemoriales, pero urgido de emancipación y de un destino de libertad. ❀ Muchos mexicanos, en la medida que engrosaban —a lo largo de esos años de acelerada integración social— los sectores de la cultura mestiza mayoritaria, iban aceptando como propio un retrato poético que era en sí mismo un proyecto de sociedad. Los individuos recién incorporados a la cultura nacional sabían por fin cuáles eran, en términos de una definición laica, no confesional, los rasgos de identidad de su nación, cuál era la imagen distintiva que podían presentar ante un mundo cuyo reconocimiento les era indispensable, y fueron adoptando, entusiasmados, el nuevo rostro que percibían en ese texto deslumbrante que llegaron a convertir en un espejo. ❀ Numerosos habitantes de las variadas comarcas del país aprendieron (gracias a *El laberinto de la soledad*) qué quería decir ser mexicano, y supieron que una de las características fundamentales de la identidad cultural de su patria era un desplante irónico y juguetón ante la muerte: comenzaron entonces a hacer suyos, poco a poco, una actitud, un ceremonial y una iconografía que para muchos habían sido totalmente desconocidos. ❀ Por los mismos años se fraguaron y consolidaron otros arquetipos de la misma naturaleza, sobrepuestos a éste. (En el número de *Artes de México* consagrado al tequila —número 27— hemos explorado la manera como se construyó la imagen simbólica de un licor regional que, asociado a las figuras del charro y el mariachi, contribuyó a sustentar los modelos que necesitaba una sociedad ansiosa de darse a sí misma una identidad nacional consistente.) ❀ Más tarde, a medida que el nacionalismo revolucionario se fue convirtiendo en un objeto de consenso, sus modelos y su estética aumentaron su difusión e incluso han llegado en ocasiones a banalizarse. Comenzó a haber un día de Muertos (basado en este modelo lúdico–macabro) primero oficioso y luego casi oficial en numerosas dependencias públicas. La estética de la calave-

GIAN LORENZO BERNINI. DETALLE DE LA TUMBA DE ALEJANDRO VII. TRANSEPTO DE LA BASÍLICA DE SAN PEDRO. ROMA, ITALIA.

rita penetró luego en los territorios del arte patrocinado por el Estado y de la experimentación libre, en los del consumo y de la publicidad. ✲ "La muerte ciriquiciaca montada en su mula flaca" de los gritones de las loterías de feria, la muerte descoyuntada y chacotera que sirve de modelo al nacionalismo mestizo —y cuyos signos emblemáticos son la Catrina del mural de Rivera y la calavera de azúcar— ha llegado ya, en menos de un siglo, a casi todo el territorio nacional de la mano de la cultura urbana, en una muestra del avance y la consolidación de una identidad compartida. Hoy, incluso en regiones donde hace medio siglo nadie había oído hablar de esa imagen de la muerte, proliferan entre los últimos días de octubre y los primeros de noviembre las ofrendas fúnebres impregnadas de un aire ligero y jocoso, irónico e irreverente. ✲ Es importante señalar que, como en la tradición europea, en México, aun en las expresiones más convencionales del folclor oficial, los coloridos cráneos de azúcar y las huesudas descoyuntadas hacen referencia a los vivos, no a los muertos. Los nombres que se inscriben en las calaveritas son los nuestros (y los de nuestros amigos y contemporáneos bendecidos por el poder, la fama o la fortuna), no los de las ánimas benditas. Éste es un ritual que expresa de manera lúdica el mensaje del Miércoles de Ceniza (el filo que todo lo allana nos iguala, las jerarquías son sólo temporales, existe una realidad más honda, distinta de la que aparece a nuestros ojos). ✲ Estas manifestaciones del talante carnavalesco son quizá más medievales y europeas (y, culturalmente, cristianas) de lo que a nuestra sociedad le gusta admitir. Se trata, tal vez, de una expresión más del firme anclaje de nuestras culturas en el horizonte del barroco vivo, un territorio donde la muerte no desaparece de la visión ni de la conciencia. ✲La calavera corrosiva y crítica (dirigida a los poderosos) coexiste así con la entrañable (en los versos dedicados a los amigos). En esta última no sólo nos hermana la certidumbre de nuestra semejanza, de nuestra común fragilidad: la risa compartida puede ser también una forma rudimentaria, a veces torpe, de acariciar desde lejos, la manera que tienen los tímidos de expresar el afecto. ✲

LA MUERTE SIN CALAVERAS: TERNURA Y PIEDAD FILIAL

El mito ha podido ser eficaz porque reposa en un formidable efecto polisémico: el signo plástico del nuevo folclor nacionalista es formalmente casi indistinguible y lleva los mismos nombres (altar de muertos, ofrenda) de otro objeto cuyo funcionamiento simbólico es totalmente distinto. Si se mira apresuradamente o desde fuera, es posible pensar que los monumentos efímeros que se erigen en un recinto oficial o que proliferan en los hoteles y restaurantes de la ciudad de México son idénticos a los que las familias del mundo rural o barriero aderezan devotamente en sus hogares o en los camposantos. En ambos casos se trata, con menor o mayor fantasía —a veces con un verdadero derroche de creatividad—, de composiciones a base de flores y velas, incienso, alimentos (donde abundan el pan y las frutas) y objetos evocadores que hacen referencia a una persona o un tema. Pero aquí comienzan a aparecer las diferencias esenciales: el altar doméstico está siempre destinado a personas concretas y el talante de los actos ceremoniales es siempre grave, tierno, impregnado de respeto y añoranza. No hay en él burla ni ironía. ✲ Las familias campesinas de numerosas regiones del país, sobre todo en aquellas zonas donde predomina la herencia indígena (la tradición está menos arraigada en los territorios influidos por la cultura criolla), han aprendido de sus antepasados que tanto las ánimas del purgatorio como aquellas que se encuentran ya en la gloria tienen permiso de venir a visitar a sus deudos una sola vez al año, cuando el calendario litúrgico de la Iglesia católica conmemora las festividades de Todos los santos y los Fieles difuntos. Por eso pre-

ROBERTO RUIZ.
MINIATURA
TALLADA
EN HUESO.
CIUDAD DE
MÉXICO, DÉCADA
DE 1980.
COLECCIÓN RUTH
D. LECHUGA DE
ARTE POPULAR/
MUSEO FRANZ
MAYER.

paran con esmero el camino de cempasúchil que habrá de guiarlas hasta la mesa del banquete, instalada en el recinto principal de la casa; por eso han ido, por lo menos desde la
víspera, a limpiar y embellecer las tumbas donde reposan los restos de los seres queridos.
La preparación del festín ha exigido la movilización de toda la familia y un gasto considerable (el momento, en pleno periodo de cosecha, no es fruto del azar). La instalación de
la ofrenda es ocasión de una intensa actividad emotiva: los jefes de familia pronuncian a
veces pequeñas alocuciones dirigidas a los homenajeados. En sus palabras llenas de afecto y reverencia subrayan los deberes de la piedad filial y hacen explícitos ante sus hijos
los valores que fundamentan la cohesión del grupo doméstico campesino: solidaridad,
respeto, memoria, generosidad. ❁ Esta fiesta es el hito mayor en la vida ceremonial de
millones de mexicanos. En ella celebran a un tiempo los fastos del ciclo de su actividad
productiva (la agricultura) y fortalecen la red más importante de su vida social (la familia),
los nexos comunitarios se reafirman y consolidan por las visitas, invitaciones y agasajos
mutuos. El homenaje rendido a los ancestros permite a los hijos menores conocer con ab-
soluta claridad las responsabilidades que la gratitud exigirá de ellos cuando sean adultos:
atención y cuidado de los padres no sólo a lo largo de la vejez desvalida, sino más allá. La
memoria es una manera de prolongar la vida, de atenuar, a lo largo de las generaciones,
el efecto trágico de la aniquilación definitiva de un nombre, una conciencia, una esperanza. (Westheim recuerda que para los antiguos mexicanos la supervivencia de la identidad
individual se prolongaba a lo largo de unas cuantas generaciones antes de fundirse en un
alma cósmica indiferenciada.) ❁ Esta conmemoración, que muchas familias de distintos
estados realizan con tanto afecto y a la que consagran recursos cuantiosos, las emparenta
con poblaciones análogas de otras latitudes donde el culto a los ancestros es el eje estruc-
turante de la vida ceremonial y donde la unidad doméstica es la referencia decisiva del
sistema de valores. ❁ En algunos casos, el banquete se prolonga en el cementerio. Ahí
los deudos, como hacían ya los romanos, comparten las viandas de lujo con sus amados

visitantes. Los parientes se instalan alrededor de la sepultura y departen tranquilamente con la etiqueta habitual de una celebración doméstica. Como en cualquier festejo, la música viene con frecuencia a dar intensidad y calor al homenaje. Conjuntos norteños, bandas, tríos, mariachis pueden llegar a mezclar sus notas de una tumba a otra, mientras las piezas preferidas de los padres difuntos hacen aflorar en el corazón de los hijos una dulce añoranza. ❉ El alcohol, por su carácter de sustancia sacralizable, por su naturaleza ambigua (bienhechora y nefasta), por su misterioso poder de provocar la risa y el llanto, de suscitar sin transición tanto el ensueño como la pesadilla, es en nuestro mundo rural, como en muchas regiones culturales del mundo, un elemento esencial de celebraciones y ritos. En muchos sitios es la ofrenda ceremonial por excelencia, y en estos festejos suele estar presente de manera casi general, pero su uso varía de una región a otra siguiendo los patrones locales de libación: moderado y sereno en muchos casos, puede llegar a ser vehemente y excesivo. De ahí el carácter exaltado que adoptan ciertos banquetes fúnebres, y que algunos visitantes apresurados confunden con una actitud semejante a la euforia jolgoriosa de los altares inspirados en la tradición revolucionaria. De cualquier manera, la tónica general de estas manifestaciones es radicalmente distinta de las que predominan en el folclor laico y oficial. No hay aquí ninguna carcajada, ninguna burla de la muerte, ningún desplante ("la vida no vale nada"); estos ritos, al contrario, intentan prolongar la presencia de los seres amados a través de la memoria, enaltecer el valor de la vida, alargando sus gozos a través del disfrute sensorial del banquete, las flores, la música. ❉ En estas celebraciones es muy raro encontrar los signos distintivos de la primera figura de la muerte que hemos analizado. Las pocas imágenes de cráneos y osamentas que están presentes se encuentran relacionadas con las insignias mortuorias de la iconografía católica (y no están revestidas de elemento lúdico alguno), aunque han comenzado a aparecer poco a poco elementos decorativos provenientes de los altares oficiales. En estas ofrendas sin huesudas gesticulantes ni calaveras de dulce, muchos mexicanos (mayoritarios entre las poblaciones de raigambre campesina) nos permiten entrever otra concepción del cosmos y otra idea del destino, al tiempo que fracturan la imagen homogénea de un país unido por un alma nacional marcada por una magnífica rebeldía del espíritu, capaz de jugarse la vida y desafiar la fatalidad. Con su manera tierna y devota de encarar la muerte, una manera marcada por la sencillez, ausente de aspavientos, esta tradición enriquece a esta patria común con el vigor de una cultura distinta, tan semejante a las que florecen en otros continentes. ❉

ROBERTO RUIZ. MINIATURAS TALLADAS EN HUESO. CIUDAD DE MÉXICO, DÉCADA DE 1980. COLECCIÓN RUTH D. LECHUGA DE ARTE POPULAR/ MUSEO FRANZ MAYER.

* * *

Hemos visto que en México la muerte no adopta un solo rostro —el de la calavera Catrina— y que este país es menos mágico y menos homogéneo de lo que nos gusta creer. En realidad hay múltiples maneras de asumir el sufrimiento y las angustias e inquietudes de lo desconocido, como corresponde a un país de tantas culturas. ❉

LOS ABUELOS DIFUNTOS NO SON, EN EL MÉXICO INDÍGENA, HÉROES NI SANTOS: LO MÁS HERMOSO QUE SE RECUERDA DE ELLOS SON SUS DEBILIDADES, SUS ANTOJOS. POR ESO SE OFRECE A CADA UNO SEGÚN LA PROPIA INCLINACIÓN —SEGÚN EL PROPIO GUSTO— SU PEPIÁN PREFERIDO, SU COPITA DE ZACUALPAN, SU GUITARRA, SUS CIGARRITOS. "ANTES HAS DE DISPENSAR, VICENTA MARCELA, QUE ESTE AÑO NO TE ESTAMOS ATENDIENDO COMO TE MERECES Y COMO NOS ACORDAMOS DE TI. YA VES CÓMO SE HA PUESTO TODO, Y LUEGO CON LO DE LA GRADUACIÓN DE GERARDO, QUE CON EL FAVOR DE DIOS SE LE HIZO SALIR DE SU SECUNDARIA, QUEDAMOS DESBARAJUSTADOS, PERO AQUÍ TE HICIMOS TU MOLITO COMO A TI TE GUSTABA Y QUE TUS NIETAS SE VAYAN ENSEÑANDO PARA QUE LUEGO TE LO SIGAN HACIENDO YA QUE SE CASEN. EL CHAMPURRADO YA TE LO HIZO LA MAYORA, A VER CÓMO LE QUEDÓ".

❖ ALFONSO ALFARO. LOS ESPACIOS DEL SAZÓN. ❖

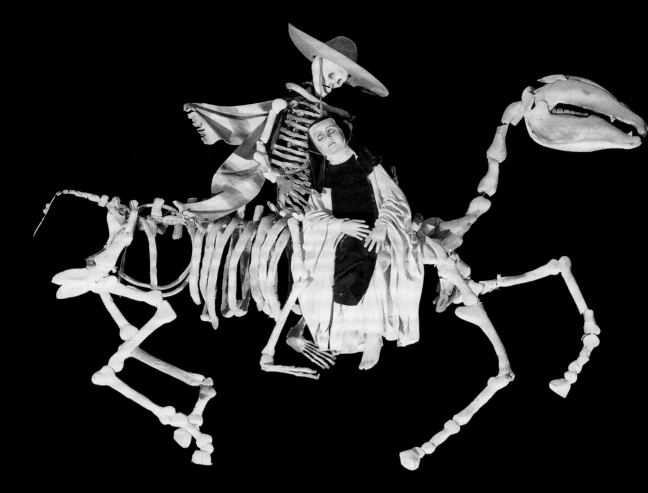

OTROS ROSTROS DE LA MUERTE: FANTASMAS Y APARECIDOS

Además de los rasgos entrañables de los padres, los abuelos, o los angelitos fallecidos en la infancia —cuyas almas tienen permiso de venir de visita cuando son esperadas—, en el mundo rural y sus prolongaciones, la muerte reviste también a veces el rictus aterrador de los difuntos que pueden irrumpir en mitad de una noche lúgubre o de un paraje desierto. El rito tiene la ventaja de la previsión. Los seres de ultratumba son siempre desasosegantes, no importa cuán amados hayan sido en vida. El día de Muertos permite abrir y cerrar, a hora fija, las puertas del más allá (como en el mundo moderno el psicoanálisis permite controlar, reloj en mano, las del subconsciente). ✺ En algunos sitios, estas ceremonias terminan con algarabía y ruidos estruendosos destinados a recordar a las ánimas (especialmente las desconocidas) que la visita ha terminado y que están obligadas a retornar a su fantasmática morada. Hay que evitar el riesgo de que alguna decida prolongar su estancia entre los vivos: su presencia no podría dejar de acarrear desazón y graves peligros. Su deambulación por callejas y cañadas, su presencia sigilosa entre nosotros, suele provocar escalofrío. En nuestro folclor rural (como en el del mundo entero) abundan los relatos donde las sombras protectoras o perversas de los difuntos se mezclan con las de los genios de la naturaleza y las criaturas de los inframundos. ✺ En francés, los aparecidos se llaman *revenants*, los que regresan. Allá como aquí es necesario hacer todo lo posible para evitar sus errancias y procurar que permanezcan del otro lado de la frontera que separa los niveles de la realidad. En el mismo siglo de Posada, Rivera y Paz, otro de los artistas mayores de México, Juan Rulfo, produjo una obra capital donde aflora la configuración que adquieren los reinos de lo visible y lo invisible en ese mundo rural, donde las fronteras entre la vida y la muerte son tan tenues como las que separan la racionalidad del inconsciente en los espíritus geniales o turbados. Gracias a *Pedro Páramo*, también esta dimensión tiene cabida en los territorios de nuestra alta cultura. ✺ Las siluetas de la muerte que estas dos nuevas figuras nos presentan (la popular de los relatos de aparecidos, la honda y refinada de los textos rulfianos) nos ofrecen otras dos maneras de encararla plenamente vigentes en nuestro país, totalmente mexicanas, por supuesto, pero también totalmente universales, porque ambas tienen afinidades esenciales con las que reconocen como propias otros pueblos tan distintos del nuestro. ✺

muertos y las calaveritas jolgoriosas. ✹ La muerte, en estos territorios culturales, ha experimentado la misma evolución que Philippe Ariès y Louis-Vincent Thomas han señalado para las sociedades occidentales después de la Ilustración. Entre los mexicanos inscritos en la órbita de la modernidad hay los que esperan la resurrección, otros constatan, resignados, la brevedad de las horas humanas, unos pocos practican todavía el espiritismo, otros anhelan la reencarnación, pero casi nadie pone una ofrenda mortuoria para reírse de sus familiares difuntos. ✹ El estudio de las actitudes ante la muerte ha despertado en las últimas décadas un gran interés entre historiadores y antropólogos. Gracias a unos y otros, ahora conocemos las enormes transformaciones que experimentaron las sociedades occidentales, en primer lugar a causa de la profunda evangelización de que fueron objeto las culturas populares europeas particularmente a partir del siglo XVII, y luego cien años más tarde, con la no menos importante difusión de los ideales y valores ilustrados (aunque este segundo proceso fue más paulatino y estuvo inicialmente reservado a las elites). ✹ Estos fenómenos tuvieron una influencia capital en las percepciones y en las creencias, tanto de los individuos como de las sociedades. La expansión de las Iglesias (tanto de la católica como de las protestantes) que tuvo lugar durante los siglos barrocos fue relegando cada vez más las expresiones culturales de origen precristiano (entonces sumamente vivas, en particular entre las poblaciones rurales); la Ilustración aceleró la adopción de modelos sociales cada vez menos comunitarios, menos emotivos, más ansiosos de proponer como única guía a la inteligencia racional. ✹ Para el tema que nos ocupa, el resultado fue que mientras los nuevos patrones noreuropeos ganaban terreno, las actitudes y comportamientos tradicionales se iban debilitando. En todo el mundo occidental (incluyendo nuestro país), las personas imbuidas del espíritu moderno comenzaron a mirar las antiguas prácticas por encima del hombro, y a calificarlas de "supersticiones". Por supuesto, las ofrendas de alimentos, los ágapes en los cementerios (que eran habituales entre los primeros cristianos, como entre los romanos antiguos y que muchos europeos conservaron por milenios) entraban en esa categoría. Es

interesante recordar, a este respecto, la narración, imbuida de una aire re-
probatorio que hace José Tomás de Cuéllar del día de Muertos de 1882 en
la ciudad de México. Lo que más parece irritar su sensibilidad es el ánimo
distendido propio de las celebraciones familiares, que parece irreverente a
un hombre cuya mirada ha sido ya modelada por la gravedad y la distancia
con que los modernos consideran las cosas de ultratumba. ❊ En el número
43 de *Artes de México* hemos abordado con más detenimiento esa transformación que afectó al conjunto de los sistemas simbólicos de las sociedades
occidentales, y que en los países periféricos, como el nuestro, fue menos
profunda y más tardía. Los progresos de la ciencia y la técnica, los avances
de la medicina y de la higiene alentaron el sueño de un triunfo posible de la
razón y de la salud. Todas las expresiones de lo que se consideraba el mal o
la muerte fueron arrinconadas al exterior de la visión y de la conciencia: tanto
la locura como la enfermedad, tanto el despilfarro como el desenfreno, tanto
el exceso como la muerte se convirtieron en temas impropios; la vehemencia en
la expresión de los sentimientos sufrió el mismo tipo de rechazo. Los europeos
—y las poblaciones asimiladas a su alta cultura— creyeron que todo podía —y
debía— ser limpio y transparente. Las representaciones de las *danses macabres*
fueron destruidas y los cementerios (siguiendo el ejemplo del de los Inocentes, en
París) expulsados del corazón de las ciudades: las nuevas necrópolis debían ubicarse
en las periferias para impedir (se creía entonces) las posibilidades de contagio, pero
sobre todo para alejar la imagen de la muerte. ❊ Los individuos cuyas referencias
culturales son las de esa modernidad, han erradicado de su entorno unas prácticas
que consideran arcaicas y una sensibilidad que les parece excesiva. Tampoco ellos
subliman la pena con estampas de parcas rijosas. ❊

DEL DOLORISMO MACABRO AL BIEN MORIR

Otro más de los rostros de la muerte tiene en México un lugar de predilección. En
todos sus rincones es posible encontrar expresiones, a menudo espléndidas, de un
trágico dolorismo: mártires asaeteados, descuartizados, ánimas benditas sometidas
a la purificación de las llamas, condenados que son objeto de las más inverosími-
les torturas, Cristos sanguinolentos, lacerados, desollados, traspasados de un sufrimiento infinito (ver, a este respecto, el número 37 de *Artes de México* y el libro
Corpus Aureum de la colección Uso y estilo). ❊ El arte de la piedad barroca pudo
florecer aquí en terreno fértil y llegó a convertirse en uno de los lenguajes
expresivos connaturales a nuestras culturas. Las espiritualidades *De con-*
temptu mundi, heredadas de la tradición monacal y reactivadas por los
movimientos de reforma de la vida religiosa, estuvieron sumamente
presentes en el arte y las formas de devoción en la Nueva España.
La renovación tridentina y los impulsos estéticos del catolicismo barroco, orgánicamente ligado a ella, conformaron una cultura religiosa
que concedía un lugar privilegiado a las experiencias sensibles como vía
de acceso a la trascendencia. De esa manera se vieron favorecidas las expresiones plásticas y poéticas —con frecuencia vehementes— en torno a los
misterios de la fe y en particular de las postrimerías. ❊ Además, el desarrollo
de la conciencia moral (sobre los antiguos esquemas centrados en la pureza
ritual) y el énfasis en la libertad y en la responsabilidad de cada individuo en
su propia salvación (derivada de las posiciones católicas sobre la gracia, que
en esos años eran tal vez el objeto principal de controversia teológica) orien-
taban la disyuntiva capital del destino humano hacia un punto verdaderamente crucial: el instante de la muerte. De él podía depender la felicidad o
la condenación eterna. Lograr una buena muerte se convirtió en la principal
preocupación de estos creyentes. El sereno tránsito de san José —aunque
no aparece descrito en los evangelios— era el modelo ideal. Su devoción
alcanzó en esos siglos un auge sin precedentes (el reino de la Nueva

MUERTE ZAPATISTA.
PAPEL AGLUTINADO
Y PINTADO, SOBRE
ARMAZÓN DE
ALAMBRE.
CIUDAD DE MÉXICO,
1989.
COLECCIÓN RUTH
D. LECHUGA DE
ARTE POPULAR/
MUSEO FRANZ
MAYER.

VIUDA.
BARRO
MODELADO,
COCIDO Y
PINTADO.
MANTILLA
DE ENCAJE.
CIUDAD DE
MÉXICO, 1983.
COLECCIÓN RUTH
D. LECHUGA DE
ARTE POPULAR/
MUSEO FRANZ
MAYER.

España le fue especialmente consagrado). El cristianismo postula que la muerte puede ser vencida por la muerte (de Cristo), que la vida verdadera (la eterna) sólo nos es accesible gracias a su sacrificio. La complejidad semántica del sentido macabro en el catolicismo barroco —que abrevaba con entusiasmo en las fuentes medievales— debe mucho a esta aparente paradoja: sólo la muerte puede dar la vida. El arte novohispano generó, gracias a esos impulsos teológicos y culturales, una valiosa producción. Una cultura popular de inspiración católica y de raigambre criolla continúa palpitando en varias regiones del país (y es sobresaliente, por ejemplo, en las zonas donde hizo explosión el movimiento cristero). En ellas, la muerte no permite bromas, ni jugarretas. Lo que en ella se dirime es nada menos que la salvación o la condenación eternas. De nuevo la gran literatura, en este caso Agustín Yáñez, nos permite asomarnos a un universo que sigue siendo tan intenso y vital (aunque, sin duda, cada vez más minoritario) como en los años en que se escribió *Al filo del agua*. En él, los difuntos no son calacas catrinas, sino espíritus gloriosos dignos de veneración o ánimas benditas necesitadas de sufragios.

EN EL OTRO LADO: *THANKSGIVING, HALLOWEEN*

Las culturas mexicanas, como las de todos los países, se encuentran en continua interacción entre sí y con las del mundo. Aquí, desde hace varias generaciones, el principal polo de referencia (no sólo cultural) está representado por los Estados Unidos. Millones de familias (alrededor de la quinta parte de nuestra población) han llevado allende las fronteras los sabores y las usanzas de estas tierras y, en sentido inverso, cada vez son más numerosos los mexicanos que, a causa de la expansión de los patrones de la sociedad de consumo y al formidable vigor de la cultura popular de los Estados Unidos, una potencia que es paradigma de la deseada modernidad, se esfuerzan en seguir con entusiasmo sus impulsos, sus modas y hasta el ritmo de su respiración. Los Estados Unidos conocen también un fenómeno que podría ser equiparado a la gran celebración ritual del grupo doméstico (que en México sólo sobrevive en el espacio rural y sus prolongaciones): el más próximo equivalente estadounidense del banquete familiar del altar de muertos (el que se realiza sin chistes ni juegos) es la cena del día de Acción de Gracias. Ambos están ligados al culto del maíz y tienen lugar en noviembre, mes de cosecha, pero mientras aquí tiene un marcado carácter indígena, allá se ha convertido en una celebración transcultural. En los Estados Unidos reúne a los miembros de un grupo reducido: la familia, y está en su origen destinada a agradecer a Dios y a reconocer la contribución del propio esfuerzo en la generosidad con que la tierra puede prodigar sus dones: es el ritual que pone de manifiesto la integración de todas las comunidades en torno a los principios éticos de los padres fundadores: la laboriosidad, el ahorro. La velada es hogareña y serena, íntima y discreta, y su menú es una saludable composición de sabores neutros y equilibrados. En México, por el contrario, el festejo convoca a la comunidad sin número de los parientes, amigos y vecinos, y esto justifica la extravagante desmesura en la cantidad y en la abundancia de los platos: fiesta de pobres que se atiborran una vez al año, fiesta de príncipes que pueden permitirse el gesto señorial de invitar sin tener en cuenta el número y el tratar a cada uno por todo lo alto. ❋ Mientras en *Thanksgiving* el pasado es sólo símbolo y reminiscencia (como en la Santa Cena en algunas tradiciones religiosas de origen reformado), el día de Muertos se inscribe en un ciclo histórico arraigado en un tiempo infinito e inmóvil: los comensales de honor son los ancestros desaparecidos. Este rito de la memoria emparenta a las familias mexicanas que lo practican con los grupos domésticos shintoístas y confucianos, que saben que nada hay tan sólido para ligar a una sociedad consigo misma como el cultivo del cariño y el respeto por los antepasados. ❋ Los mexicanos de los Estados Unidos han estado preocupados durante el último siglo por la misma búsqueda de una imagen identitaria que ha obsesionado a sus hermanos y primos que se quedaron en el terruño. En su caso, el fenómeno se ha acentuado por estar inmersos en un espacio diferente de signos y valores. Además, su nueva patria los insta a que formulen, de la manera más explícita posible (es una característica de las sociedades multiculturales), los rasgos distintivos y las peculiaridades de su propia identidad comunitaria. ❋ Es natural que, en estas condiciones, los mexicanos "del otro lado" y sus hijos (sobre todo estos últimos) hayan recurrido con frecuencia al modelo cultural nacionalista (que incluía al personaje literario creado por Octavio Paz —El Mexicano—, y también a los esqueletos de Posada y Rivera). Aquellos que, además, provenían de regiones rurales donde la tradición de la ofrenda familiar (la suave añoranza sin calacas, ni exabruptos) intentaban, quizá, como muchos recién llegados a las grandes ciudades mexicanas, integrar ambas fórmulas (altar devoto en la casa, monumento jocoso en la escuela, la asociación o el recinto público). ❋ Por otra parte, entre los mexicanos "de acá, de este lado", la parca laica y republicana, una imagen moldeada en la primera mitad del siglo XX, ha sufrido en las últimas décadas una rápida transformación. El calendario litúrgico, al hacer coincidir su día con la festividad anglosajona de *Halloween* (dos formas ceremoniales heredadas de la tradición medieval europea: mediterránea y barroca en el caso mexicano, nórdica y romántica en el estadounidense), hace que ahora, en las calles de las ciudades y en los hogares de las clases populares y medias, comiencen a entreverar sus formas y sus significados. ❋ El modelo cultural identitario, de horizontes nacionales, va siendo reemplazado por otro, todavía insuficientemente definido. ❋ La mayoría de los niños que uno puede encontrar esos días deambulando por la capital mezclan brujas y calacas, y muchos arman, para construir una alcancía, un objeto híbrido que es al mismo tiempo cráneo y calabaza ("¿me da mi calaverita?", dicen esgrimiendo una *jack o lantern*). ❋ Equiparado a los disfraces de brujas y a los monstruos de la televisión, el rostro de la muerte se va diluyendo, transformándose en una simple máscara capaz de producir apenas un leve escalofrío lúdico y pueril. Este peldaño nos acerca un poco más a esta modernidad donde su imagen debe forzosamente alejarse, desvanecerse, trivializarse. ❋ Todas las *invented traditions* están sujetas a una incesante metamorfosis y ésta no podía escapar a la regla. Hoy, el espacio cultural norteamericano se encuentra en plena formación. ❋

CHARRO MÚSICO. PAPEL AGLUTINADO, MOLDEADO Y PINTADO. CIUDAD DE MÉXICO, 1975. COLECCIÓN RUTH D. LECHUGA DE ARTE POPULAR/ MUSEO FRANZ MAYER.

JINETE. BARRO MODELADO, COCIDO Y PINTADO. JUVENTINO ROSAS, GUANAJUATO, 1978. COLECCIÓN RUTH D. LECHUGA DE ARTE POPULAR/ MUSEO FRANZ MAYER.

LA *SANTA MUERTE* Y EL *CUERNO DE CHIVO*

Las sociedades, felizmente, no tienen un alma fija e invariable, una idiosincrasia definiti-va y común a todos sus miembros; van transformándose, mutando incluso. Hemos visto que en México, como en todas partes, existen maneras muy distintas de asumir la vida y, por lo tanto, de hacer frente a su término. ❋ Algunas de las que aquí han llegado a arrai-garse son muy antiguas y tienen correspondencias con modelos sumamente extendidos por todo el planeta (la campesina), otras parecen obedecer en su configuración a los azares de nuestra historia (la revolucionaria), de varias podemos seguir la traza desde el momen-to de su aparición (la moderna, la barroca...). ❋ Existe en nuestro país una imagen de la muerte que, descolorida y casi imperceptible durante mucho tiempo, ha adquirido en los últimos años una gran visibilidad y comienza a producir su propia subcultura. ❋ Las mo-dernizaciones económicas que hemos padecido —desconectadas de un acompañamiento adecuado en los terrenos de la sociedad y la cultura— desarticularon las antiguas tramas de tipo patrimonial y corporativo sin alcanzar a sustituirlas por otras, más acordes con los nuevos modelos que ha adoptado el país. El resultado fue el surgimiento de redes de pertenencia calcadas sobre el antiguo formato, cada vez más marginales, más divergentes de los esfuerzos que requiere la construcción de una sociedad democrática. El aumento de la marginalidad delincuente, que nuestro país ha visto crecer acompañando a cada crisis de la economía, tiene también su expresión estética. Hay ahora una literatura popular, extraordinariamente viva, que se ha convertido en su lenguaje. ❋ El viejo y nobilísimo corrido, heredero de una antigua tradición medieval, es ahora la rendija por la que pode-mos escuchar la respiración de ese México que se cubre de esmeraldas y "billetes verdes", mientras se aleja de las rutas del proyecto común. Florece en nuestras letras una poesía popular que canta la llama de los placeres efímeros atizada por el dinero fácil, y que expre-sa la familiaridad con una muerte que no tiene nada de risible: es la que se da y se recibe en cualquier emboscada cuando retumban los cuernos de chivo. ❋ En Colombia, un país que nos lleva en este terreno una trágica ventaja, esos mundos han sido abordados por grandes plumas, pero desde el exterior (Gabriel García Márquez en *Noticia de un secuestro*, Fernando Vallejo en *La Virgen de los sicarios*). Aquí, Arturo Pérez-Reverte, en *La reina del sur*, acaba de abrir esa compuerta, pero desde hace algunos años es la propia voz de esa marginalidad la que se expresa, a veces con una descarnada sinceridad. ❋ Esos versos profundamente emotivos, a veces duros, con frecuencia hermosos, han encontrado en la música norteña los acordes (guturales, viscerales, carnales) que necesitaba para cantar a una juventud que se desangra. ❋ Esa muerte ciega que troncha sin titubeos, destripando a más inocentes que culpables, es diariamente invocada por muchos que hicieron todo lo posible por atraerla, y que intentan, sin embargo, alejarla con ofrendas, plegarias, peregri-naciones, medallas de oro y diamantes. Esa muerte no es jocosa y está viva, y nuestro país no tiene la menor idea de qué hacer con ella. ❋

ALFONSO ALFARO. Antropólogo. Director del Instituto de Investigaciones de *Artes de México*. En esta editorial ha publicado varios libros y artículos. Este texto forma parte de una serie escrita bajo los auspicios de la cátedra Alfonso Reyes de la Universidad de París III-Sorbonne Nouvelle.

CALAVERA UBICADA FRENTE A UNA IGLESIA CONSAGRADA A LAS ÁNIMAS DEL PURGATORIO. GRAVINA, ITALIA.

BIBLI⊕GRAFÍA

Benítez, Fernando, *Viaje al centro de México,* Fondo de Cultura Económica, México, 1995.

Cardoza y Aragón, Luis, *José Guadalupe Posada,* Universidad Nacional Autónoma de México, Dirección General de Publicaciones, México, 1963.

Clark de Lara, Belem (comp.), *José T. de Cuéllar,* Cal y Arena (Los imprescindibles), México, 1999.

Fernández Ledesma, Gabriel, "El triunfo de la muerte", *México en el arte,* México, noviembre de 1948.

Foucault, Michel, *Historia de la locura en la época clásica,* Fondo de Cultura Económica (Breviarios), México, 1999.

Gamboa, Fernando, "Calaveras". *México en el arte,* México, noviembre de 1948.

García Bergua, Ana, *La confianza en los extraños,* Plaza y Janés (Debate), México, 2002.

Hernández Arias, José Rafael y Erika Saric Gordillo, *La muerte. Una antología,* Valdemar, Madrid, 2000.

Morera, Jaime, *Pinturas coloniales de las ánimas del purgatorio,* Universidad Nacional Autónoma de México, México, 2001.

Palacios Albiñana, Joaquín (ed.), *Antología de la poesía macabra española e hispanoamericana,* Valdemar, Madrid, 2001.

Paz, Octavio, *El laberinto de la soledad,* Fondo de Cultura Económica, México, 1995.

Poniatowska, Elena, Tomás Ybarra Frausto, *et al., Día de Muertos: A Celebration of this great Mexican Tradition Featuring Articles, Artwork and Documentation from Mexico across the United States,* Mexican Fine Arts Center, Texas, 1995.

Quirarte, Vicente (comp.), *Ignacio Manuel Altamirano,* Cal y Arena (Los imprescindibles), México, 1999.

Rodríguez Álvarez, María de los Ángeles, *Usos y costumbres funerarias en la Nueva España,* El Colegio de Michoacán-El Colegio Mexiquense, México, 2001.

Sayer, Chlöe, *Skeleton at Fest,* Thames & Hudson, Londres, 1985.

Villaurrutia, Xavier, *Nostalgia de la muerte,* Ediciones Coyoacán, México, 2001.

Westheim, Paul, *La calavera,* Fondo de Cultura Económica (Breviarios), México, 1996.

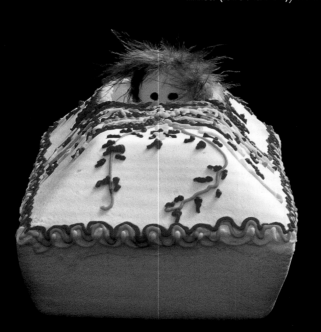

DAY ⊕ OF THE DEAD II
SKULLS AND LAUGHTER

DEATH'S GRIN

Margarita de Orellana

When we at *Artes de México* began to research the topic of the Day of the Dead, we were first struck by a fact that contradicts all the preconceived notions most people have of this celebration: the rural and the urban experience of the Day of the Dead are two very different things. In rural areas, the Day of the Dead is still closely linked to ancestral beliefs. Its ritual form of expressing creativity is impregnated with an inflexible solemnity and a strict code of behavior, accompanied by the extravagant use of color, composition and texture. In the city, the Day of the Dead is also noted for its explosion of colors and forms, but they lack any religious significance and possess a more uninhibited, playful, festive air. With this issue of *Artes de México*, and in our previous issue on the Day of the Dead in the rural environment (no. 62), we have attempted to provide an accurate picture of these two distinct forms of celebrating this holiday. ❁ We have also tried to explore the many implications of certain questions we outlined in the initial planning stages of these two issues: how and when did the rural and the urban celebrations begin to diverge? Why was the ritual nature of the celebration abandoned in the city, converting it into an impassioned and defiant experience? Why do many Mexicans believe that the Day of the Dead is celebrated in the same way throughout the country? ❁ Some have thought that the urban Day of the Dead is a secular holiday due to the influence of the Mexican Revolution. Many post-revolutionary intellectuals were obsessed with lessening the importance of Catholicism and the Spanish legacy here, in hopes of emphasizing the pre-Hispanic past and thus strengthening our cultural roots. People's notions of the Day of the Dead followed that lead. However, this distancing between rural and urban Mexico had already begun in the late nineteenth century. In a society aspiring toward modernity and to join the ranks of other modern nations, this kind of festivity seemed to be an atavism, an obstacle to progress. Some individuals (especially in the educated middle classes) expressed their repudiation of these demonstrations of "backwardness." Other more traditionalist souls lamented the fact that this day, dedicated for centuries to sorrow and nostalgia, had been tainted by frivolity. According to this particular point of view, the dead no longer came to share the food of the living, but to observe "massive feasts, with gluttons ingesting food and alcohol without restraint." In the graveyards, loud voices and even peals of laughter were heard instead of prayers. ❁ Every year, Mexico City and places such as Toluca, with its Alfeñique Market, are inundated with colors and flavors, embodied in their pastries and sweetmeats, in particular the sugar skulls. We do not observe such a proliferation of sugar in rural areas, but rather the preparation of traditional dishes that were favorites of the deceased. And sugar skulls are nowhere to be seen on the altars to the dead. ❁ Skeletons and Grim Reapers are very familiar figures to us in the city. They express our defiant attitude before death that apparently forms part of our idiosyncrasy. It is curious how much emphasis was given in twentieth-century Mexico to a representation whose origins lie in medieval Europe, to the point where it came to be thought of as a national characteristic. The *calavera*, in all its incarnations—sugar skull, cartoon skeleton, satirical poem—becomes part of the community on this day, and like the candy skulls we all love, a kind of communion with death. Authors Luis Cardoza y Aragón and Paul Westheim were both intrigued by this phenomenon on their arrival in Mexico, and offer their reflections on diverse aspects of the visual arts as related to the calaveras. Cardoza y Aragón focuses on José Guadalupe Posada's illustrations, while Westheim explores how these skeletal representations speak more of the anguish of life than any rapport with death. ❁ Ruth Lechuga points out the fact that skeletons not only dance and play a comic role in our celebration of Day of the Dead. The pale emaciated *calaca*—the Grim Reaper, Death incarnate—is endlessly invented and reinvented in Mexico on a daily basis. And we could not leave out the tradition's exportation across the northern border. What significance has the Day of the Dead had among Chicanos? Tomás Ybarra Frausto defines it as a struggle against forgetfulness that permits a confrontation with—and perhaps a transformation of—the emigrant's new reality. This is followed by writer Ana García Bergua who offers us a literary altar of the dead that will take the reader by surprise. ❁ Alfonso Alfaro's brilliant essay answers many of the questions that we posed when beginning work on this issue. How did the Day of the Dead and the urban calaveras serve as a symbolic tool in the post-revolutionary strategy for creating a national identity? How has the idea that Mexicans have a privileged relationship with death been gradually interiorized in our society? This author also analyzes the urban upper classes' attitude before death—so similar to that of their counterparts in Europe and the United States. And finally, he invokes the death that appears in our country day after day, to the sound of shots fired from an AK-47. And he proposes one certainty as regards death: "our country does not have the slightest idea what to do with it." ❁ The subject of death is inexhaustible so we will continue our exploration of it in future issues, in hopes of arousing in our readers more questions than those addressed here.

❁ *Translated by Michelle Suderman.*

FR⊕M RITUAL TⓄ FESTIVAL

The Day of the Dead in the Nineteenth Century

•1763 - 1764•
ALFEÑIQUE
FⓄR ALL SⓄULS' DAY

Francisco de Ajofrín

Before All Souls' Day, they sell countless sugar-paste figures of sheep, rams, and so forth. Called offerings, they are a compulsory gift for neighborhood children. Other items sold are coffins, tombs and numerous figurines from every religion, bishops and knights. These are ostentatiously displayed along the roofed walkways around markets, and draw a surprisingly long stream of members of the Mexico City élite the day before All Souls' Day [...]. With exquisite wormanship, common people make all these figures and knickknacks, as well as other more substantial items, in a very short time and for a small price. But if they receive a special order, they ask for money in advance (common for all official dealings in America), and then either do not do the work—meaning the buyer loses what he has given them—or they do it poorly, late and at a high price. So people lose their patience. ❀ Diario del viaje a la Nueva España. ❀ *Translated by Carole Castelli.*

•1878•
CI╂Y GRAVEYARDS
⊕N DAY ⊕F ╂HE DEAD

Guillermo Prieto

I remember the gloomy tolling of the death knell that from the first pale light of dawn heralded the day devoted to the memory of death, to those mortal remains which have no special name and which lived with us. ❀ In many houses lamps and wax candles were lit as if to rekindle with greater intensity memories of loved ones within the intimacy of the home. ❀ Wailing and weeping emanated from every corner; people made tombstone decorations with tenderness, diligence and loving care: hand-carved candles, crêpe flowers, wreaths, ornaments, anything suggestive of endearment or adulation when honoring the tombs. ❀ It was for the populace a true day of sorrow and pleasure. ❀ Weeping for the deceased, burying bones, buying fruit, laying out the offering, promenading in the plaza; these were the multiple pleasures and attractions of a day of tears. ❀ Pastry shops and bakeries sold—still do—enormous quantities of Day of the Dead buns with their symmetrical pattern and powdered sugar sprinkled on top. De rigueur were such traditional items as hot fruit punch, a delectable jelly made of hawthorn berries, and *alfeñiques*, sugar-paste figures which appealed to every social class. ❀ The jelly and the alfeñiques came in all kinds of special presentations, and there were also the famous hawthorn berries themselves. The success of the jelly lay in its transparency, shown off by placing the dedicatory card on the platter under it, so it could be read through the jelly. ❀ Alfeñiques, particularly those of the San Lorenzo Convent, were justifiably famous. They came in the shape of pyramids, obelisks, rocks, pretty scenes such as riverscapes, and other quirky shapes, and generated a sizeable trade among poor people. Moreover, in private homes alfeñiques and sugar skulls supplied an excuse and the raw materials for family parties. ❀ From the middle class on down, strapping young girls, fresh-skinned and ruddy, in loose tunics with the sleeves rolled up, would pour syrup on cold plates to harden it, then tear off chunks to knead and mold them like skillful sculptors into hens and sheep, mules and toys. All this amid the hustle and bustle, to and fro, and the little filching hands of bouncing children who were the life and soul of the fiesta. ❀ Children, servants, acquaintances and endless believers in the obligatory loan thought it their right to ask everyone for spare change. This extraordinary contingent would descend upon the market to convert their earnings into funeral processions of tiny figures with chickpeas for heads, or figures of dead people, scribes, tombs, funeral pyres and other assorted offerings. ❀ On the gastronomical side, some foods were compulsory. Primarily for the working classes there were the very popular pastry "heads" straight from the oven. The best bakeries were Necatitlán, La Retama, Nana Rosa, Don Toribio, outside the pulque bars La Garrapata and Tío Juan Aguirre, and around the Santiago Tlatelolco cemetery which reestablished its repute as a burial ground during the first cholera outbreak in 1833. ❀ The upper classes who had servants to assist in their preparations chose turkey in mole sauce, and death figurines made of bread or of *chacualole* (pumpkin cooked in raw sugar syrup). These were the dishes they placed on the tombs, among the candles, abundant fruits and candies that made up the offering. ❀ An offering, particularly among indigenous people, was, and is, considered a lucrative benefit for the Church, curates and sacristans. ❀ When the weeping subsided and the shadows lengthened, the owls around the church pounced upon the offerings to the dead, and the plentiful booty gave pleasure to those whose soul was still in their body in this valley of tears. [...] ❀ The Church could not remain indifferent to the manifestations of mourning. At the entrance of each church, scattered around the sanctuary and inside the cemeteries, tables stood covered with dirty black cloths dribbled with wax. On each sat a yellow skull, a holy water basin, the aspergillum, and behind it, the priest's heavy chair and the characteristic *tololoche*, or Mexican bass guitar, its thin scraggy neck rising above the mercantile-mortuary apparatus. ❀ The charge in these abundant collections was simple enough: half a real for a recited response, double that for a response sung to the accompaniment of the decrepit tololoche. ❀ All alms were deposited in the holy water basin. Under the table were one or two pitchers of water to replace the raw material for the prayers and singing, while the holy water basin was there to be filled and emptied many times. In a working-class cemetery, as much as six or eight thousand pesos were collected in responses alone. ❀ In these vast non-aristocratic graveyards the afternoon and evening would bring or-

Sugar-paste figures; both from Alfeñique Market, Toluca, State of Mexico. Opposite page: Alfeñique Market stand.

gies, disorder, dreadful fights and crying; the flirting, blaspheming and bloodletting presented scenes to which we fortunately do not sink now, even though we are said to have reached the absolute depths of corruption. [...] ❈ The night was devoted to recitations of rosaries for the souls, or ecclesiastical patrols led by their singers and a tololoche, praying and dispensing responses right and left in the streets. ❈ The many voices were the attraction of the procession, a kind of funereal serenade. The amount of care and vanity invested in it were measured by proclaiming the names of the departed beneficiaries, letting it be understood in the neighborhood that those poor dead people would not spend the night without their own kind of fandango. ❈ Scorned lovers or quarrelsome married couples frequently paid lay brothers and singers to mention the name of the fickle dandy or unfaithful woman in their responses. Whereupon if the alluded person or one of his or her kin was in overly high spirits and given to anger, he or she would then deal out blows all around. Those cries, that commotion and those hot, genuine tears were, as they say, the glorious complement to the day. [...] ❈ On the other hand, artistically beautiful and exquisitely tasteful monuments have proliferated. The cult of flowers persists, and it is nice to see families take their children to pay tribute to their beloved relatives with floral offerings, the symbol of prayer and love. [...] ❈ The French Cemetery is truly lovely, worthy of its purpose and of

a civilized people. Majesty, beauty, good sanitation, spiritual grandiosity, perfection, respect for religious practices may be found there. ❈ The rosaries and nocturnal parties have disappeared, doubtless because participants recalled the verses that vulgar people would chant at that time: "My dear bald friend, I'm pleased to see you. —Don't poke fun, for I am Lady Death." ❈ Or this other verse, equally "boorocratic": "As I wandered the Earth, I happened upon a skeleton, and I mumbled to it: it's all the same to me, unless you're from the afterworld." ❈ *Translated by Carole Castelli.*

◆1880◆

DAY OF THE DEAD

Ignacio Manuel Altamirano

In the old days, that is before the Reform, Mexico would awaken on November 2 to the funereal clamor of the bells ringing in all the churches, reminding people that this was the day when the faithful departed were commemorated. ❈ Ah! What sadness and tedium inflicted the continuous funereal clamor that began in the Cathedral and was echoed in the hundred belfries of the convents, and in all the churches, chapels and hermitages that surrounded the city from east to west, from north to south! It was an incessant rhythmic vibration, hoarse, dismal, that gave rise to many feelings, all of them bitter. Sorrow, regret, despair overpowered the heart, like the dreadful procession of the day's memories. For who had not lost some loved one whose memory was evoked by the chiming of the bells? ❈ And so moved, the faithful obey the sacred mandate, just as they did in the old days. For while the bells have been silenced in the past and muted in the present, the pious custom of commemorating the departed has remained firm, maintained by tradition and family sentiment. ❈ Although I was already familiar with present-day Mexican customs, and though I had to overcome the repulsion I feel at big-city cemeteries—since, when I want to meditate on the profound issue of death, and envelop myself in the shadows of tombs to dream of them, I, like the English poet Gray, prefer to seek out a village cemetery—I set out for the graveyard. ❈ Have Mexican religious customs on

the Day of the Dead changed at all, I wondered? Were they different before the Reform? ❈ I climbed aboard a rental carriage that, like all the abominable vehicles of its kind, was charging one or two pesos per hour that day. The one I found by chance was pulled by two unmatched sallow nags, but more spirited than even the brightest person would ever guess. ❈ It is well known that in the city there are new graveyards, arranged differently than in the old days. The French Cemetery and the neighboring La Piedad, Dolores in the hills of Tacubaya, the two named Guadalupe, San Fernando (no longer accepting new occupants), the Flowery Field in the south end of the city and Los Ángeles in the northeast. Buried there are the bones of the dead that the Mexicans mourn. ❈ But La Piedad and the French Cemetery are the most notable and the most widely frequented. ❈ I am saddened as I make my way there, moved as anyone who makes a pilgrimage to the dwelling of the dead ought to be. Ah! I said, forgetting for a moment that I was familiar with the customs of this noble city. How the air must be filled with sighs all along this road! What gloomy faces people must wear! How their eyes must be clouded over with tears! ❈ It is the *via sacra*, the way of pain and tenderness. This is where silent grief passes, with its slow gait.... ❈ My melancholy phrase was interrupted by a concert of happy guffaws, and shrieks of joy. I stuck my head out the carriage door to see better. ❈ The nags had already passed the Belén watchtower and were trotting down Calzada de la Piedad. On both sides of the highway and the railroad, under the shade of the poplars bordering the avenue, there was an uninterrupted procession of noisy, happy people divided into groups of varying size. It was the Mexican hoi polloi on foot, presenting such a vivid, picturesque scene. ❈ The families carried between them candles and black crêpe flowers, bouquets of fresh blossoms, evergreen and cypress crowns, baskets of food and fruit, and enormous pitchers of *pulque*. ❈ Pulque wherever you looked. Sometimes a mule walking among the people, carrying two great wineskins of pulque, sometimes the driver carrying a demijohn full of the same liquor. Ancient women and children in party clothes or covered in rags, but always carrying the intoxicating liquid in their hands. ❊ These were the people chattering, laughing, whistling, making a racket that smothered the distant notes of the city's tolling bells. ❊ This was a pilgrimage of pain. At every step the path was blocked by a multitude of food and fruit stands, cantinas stocked with liquor, but with pulque always dominating. ❊ Soon, a train twenty wagons long caught up to me. It was a curious sight: crammed with people in all their finery. The women sometimes had to go on foot because there was no room! They looked like herring in a barrel. They too were pilgrims of pain. And a hundred private coaches passed rapidly or slowly, blocking the road to La Piedad, full of mud puddles from the previous day's rain, pockmarked and crooked from lack of maintenance. In these carriages also rode the pilgrims of pain. ❊ We arrived at La Piedad. The people swarmed; it was a carnival. We penetrated the sad little cemetery, the worst cared for of all. Though it could have been full of trees, it bristled with weeds. All classes of people are buried there, but above all the poor. The arriving pilgrims dispersed among the labyrinth of lanes that ran out to the fields of the lower classes. That was the final destination of the candles, the flowers, the baskets and the pulque. ❊ At the entrance, some hundred Indians toiled at making and selling bouquets for the poor, because elegant bouquets are sold at elevated prices that day. I will not describe the tombs. Why bother? There are no works of art, nor even opulent sepulchers. ❊ On the way out of the cemetery, I met a plump lady I know, accompanied by her gay young daughters who were all dressed up as if for a salon party. ❊ "Sir," she said, addressing me, "Have you been to the French Cemetery?" ❊ "No, ma'am, I am going there now." ❊ "Yes, you must go. How pretty it is! What elegant sepulchers! How rich and charming! And sir, you will see such beautifully attired people, for it is the most elegant cemetery in Mexico. True, some ladies look ridiculous, but others look quite fine." ❊ "Ma'am," I replied, "I don't know a whit about clothes and fashion, but I will go to see the graves." ❊ "Yes, yes, go see the graves. They are in good taste and very expensive. I believe that Mrs. What's-her-name's tomb must have cost at least 6000 pesos, for if you take into account those thingumabobs, pure marble! bronze! and they have large urns worth 200 pesos! Go, you will have a wonderful time." ❊ This is the general opinion that causes much pain to those who go to pray for their dead, as ordained by the Church. ❊ I went to the French Cemetery and almost could not get in. Harassed by the people shoving, I made my retreat between the horses and the fifty carriages waiting there for the "elegant world," as my corpulent friend called it. ❊ I returned to the city, but in the afternoon I went back out to La Piedad. ❊ The cries that I heard upon arriving announced to me that the delirium between the sepulchers had turned to grief. ❊ After praying, the crowd keeping vigil among the tombs had had to eat—nourishment was essential, the tears weakened one so. They had laid tablecloths beside the tombs, or used the cemetery's own weeds as a table. Later they passed around jugs of pulque, and shed tears of pulque over the gravestones, and then the funereal orgy began. ❊ The white liquor had exacerbated the sorrows; it talked vigorously, it sobbed, it damned, it swore, it was desperate. Physical love mocked death, and in the midst of this frenzy, rage, jealousy, desire, all the furies that can stir the human heart waved their red beacons, eclipsing the yellow light of the lilies and the graves. ❊ The Sun was setting. The weeping willows and the poplars took on the opaline color of dusk. It was essential to bid farewell to the beloved ashes and make a final prayer and ingest a last libation. It was terrible. ❊ Then the crowd began to leave, not as a beaten-down and sorrowful cortege, but like the unchained mobs of ancient Rome when from atop the temple steps was pronounced the sacramental word *Evohé* inaugurating the Saturnalia. ❊ Groups of disheveled women sang bewildering songs and made frightening gestures. Violent feelings astir, men quarreled and came to blows, or staggered around until they fell. The 500 men that policed the avenue rode around on their horses with their swords drawn. Calzada de la Piedad was in complete pandemonium as the first shadows of nightfall crept across the last sacrifices of grief. And what was the Angel of Death doing in the meantime? ❊ At night, all the city streets were alive with groups of animated mourners, singing and drinking until the wee hours. ❊ A foreigner, witnessing this spectacle through his window, could only have concluded, "What drunks are the people of Mexico, and what awful voices they have!" ❊ *Translated by Jason Lange.*

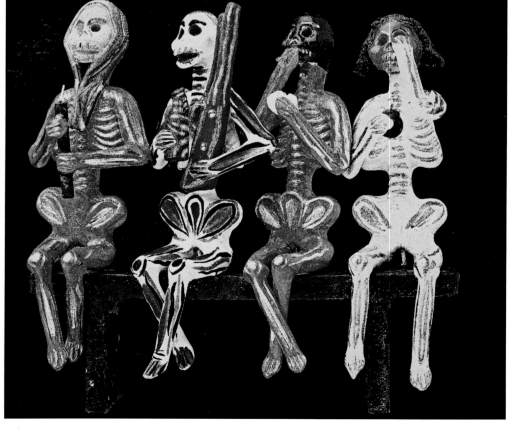

DESPUÉS DE MUERTOS

José Tomás de Cuéllar

From the most savage to the most civilized, all cultures divide their public ceremonies into two categories: rejoicing and funerals. No wonder it has been so since antiquity, given that these are the two phases of human life: one enjoys and suffers alternately, laughs and cries, is born and dies. By these two paths we humans have divided ourselves into two groups: the dead and the mourners, and into two cities: the silent cities called cemeteries and the happy cities where the survivors cry and laugh. ❊ There are no darker hours in our life than those when we have mourned the loss of a loved one; and there is no idea more terrifying than that of our irremediable end. ❊ Before the great mystery of death, human reason is annihilated and the manifestations of mourning have taken on more or less extravagant forms; but deep down there is always grief. Only Mexico could convert funereal pomp into rejoicing; only this country of sublime anomalies and contradictions could host the exaggerated, shameful wakes characteristic of uneducated, superstitious people. ❊ It is easily understandable that Indians and uneducated Mestizos believe that, on the Day of the Dead, they have the unavoidable duty to buy the worst sweet rolls that are made in the entire year and the ugliest flowers with the worst fragrance on Earth—marigolds—to set up the offering accompanied by candles and incense fumigations. This custom is almost a rite, and from the allegorical point of view, it is not only forgivable but involves something like a badly expressed idea of immortality, given that food, the first priority of a living being and the price of life, is offered to the dead. ❊ A taciturn Indian in front of a pile of marigolds, in front of sugar-coated buns, by the light of two candles and swathed in a cloud of incense, is a respectable mourner; he is an Egyptian from the time of Sesostris, in America, who is finding out that the road of progress is longer than it appeared at first glance. ❊ But the fact that the most illustrious members of Mexican society, in communion with the most abject of the populace, celebrate the commemoration of the Faithful Deceased with shouting and frolicking, seems to us, in the end, to have a highly distressing significance in terms of the moral order. And do not try to make us believe that this society divorced itself from the Catholic Church ever since the Reform, and that on the Day of the Dead, people do not follow the practices and rites of commemoration, but instead go to the Zócalo just because they feel like it—no, sir. People dress in black in the morning, cry in the cemetery in the afternoon, and flirt at night dressed in pink. Is it that the emotion, the grieving and the sad memory of our loved ones who have died is also a lie? Who knows; but what is certain is that the current custom leads all of us to think the following: "When I die my people will mourn me seriously until November; and on the day consecrated by the Church for the remembrance of the dead, my wife and my children, my friends and family will participate in a festival created to make fun of the dead. Dressed in resplendent colors they will go around to the sound of the cancan inside a big tent and will dine lavishly and drown the last glimmer of sadness for my irreparable loss in champagne." ❊ This terrible idea, which would make the stones tremble if they could be made to believe that they had to die, turns into a masquerade; and skulls and tombs become children's toys so the little ones can then merrily celebrate the death of their father. ❊ Or could it be that during the so-called Festivals of November, the Day of the Dead is of negligible importance compared to All Saints' Day? For me, the separation of Church and State began with the disrepute into which the saints had fallen in the eyes of a considerable majority of our society. The idea that people get excited by such an exceptionally Catholic memory does nothing to resolve my doubts. ❊ Is it perchance the sad remembrance of a father, mother, brother or dead child that consumes these tons of peanuts and dainties? Physiologically, great grief is incompatible with great appetite. What happens to this legitimate and serious grief so that it might be consumed with delight on November 2, and not only is consumed with delight, but consumes food and drink in excess? ❊ Grief is logical, it is exhaled in tears and sobs and sighs. Our admirable organism contains no other juices nor nervous phenomena to express it. But the grief we are concerned with here, that grief of which people speak, the annual grief on a fixed date, is a strictly variegated, sweet-toothed grief and discourses more or less as follows: "Shall we commemorate our dead mother? Well then let's stuff ourselves; let's prescribe for ourselves an extraordinary dose of indigestible sweetmeats on this day, and may there be a lot of music and many amusements." And each family prepares itself for the festivals with the more or less direct intervention of the moneychanger, storing up the heterogeneous articles stated in this list we find in the Zócalo: ❊ "Twenty-five yards of marvelous satin, the color of egg yolks and twenty yards of lace for Virginia; bismuth cream, aromatic bark of Havana, etc.; eighty yards of rose satin for Mother, matching shoes and sheer stockings; bonnets for the girls and blunt-toed boots; a ten-peso wreath for the tomb of my godfather the general; a bouquet for my poor Aunt Charo; candles and candleholders for the family tomb in the Dolores Cemetery and a gratuity for the servant who keeps watch so nobody steals them; three mantilla veils; *mole verde* for the cook; a letter to cross the fence separating the public thoroughfare from Bejarano's enclosure; dinner in the Zócalo." ❊ In this way and from aberration to aberration, Mexico these days presents a unique, truly idiosyncratic appearance to the eyes of the philosopher and the foreigner—one that may unfortunately lead them to emit rather unfavorable judgments about our culture. ❊ The people conglomerate in the main square of the national capital to convert it, with social and municipal consent, into a popular market. To the detriment of education and decency, they improvise shelters out of bed sheets. They stretch out on the ground and spend the night on the stones; they set up their fruits and sweetmeats on the garbage, and improvise hearths and make bonfires and

ply their wares until they are hoarse. They are the remnants of barbarity that make themselves at home in the heart of the city to celebrate the great wake as they have been doing for three centuries; but there is a relatively small group of civilized people who dress in satin the color of egg yolks and in French cashmere, who wear ostrich feathers and high heels. The yellow satin next to the sheets and mats of the shelters; the ostrich and white African stork feathers alongside straw hats; French cashmere beside the coarse cotton of the country—that is, the undergarments in which our people live—all make bad fellowship in appearance and protest at contact. The costumes are essentially different; but not so the sentiment for the dead. ❀ The yellow satin eats truffles and the blanket eats peanuts, but satin and blanket alike eat twice as much these days to the honor and glory of the dead who no longer eat. Barbarity and refinement are in agreement on how they feel, they experience the same grief, the same pleasure, and the same appetite; but they do not like to join together, to rub elbows with each other. The yellow satin fears the fluff shed from coarse cotton fabric, blanket, and shawl. What can be done, then? To cry is requisite, to amuse oneself is requisite, marvelous satin is indispensable, the anniversary is getting close. From this emergency arises a clever savior, as in all difficult situations: Mr. Bejarano arrives and proposes to put up a wooden fence to make an enclosure that separates the yellow satin from the cheap, coarse cloth. ❀ "Good idea!" shouts the yellow satin. ❀ Bejarano adds, "This enclosure will belong to me for a few days." ❀ "Excellent!" shout the os-

trich feathers. ❀ "But," continues Bejarano, "to get into my enclosure it will cost you four pesos." ❀ "So what?" says the yellow satin disdainfully. "Don't you see we're all rich? Almost all of us are money-changers." ❀ Bejarano, satisfied with the reply, persuades City Hall, which of course is very easy to persuade, to loan him the Zócalo, and City Hall loans it. Mr. Fulcheri brings the equivalent of peanuts to the Zócalo and keeps his foodstuffs in booths from which they emerge at night as from a magician's hat, at prices that are deadly to any man. ❀ Elegant Mexico begins a movement of separating the corn from the chaff that lasts four hours, during which everyone sees the satin of the others and remains persuaded of the utility of every class of clothing, that for four pesos they heard the same music they ordinarily have playing in the background, and that in the end they dined expensively. And the dead? No news to tell. What more could those poor cadavers ask for than their ten-peso wreath and their candles and their flowers? They've been given their offering but they haven't wanted to eat it. Might it be they do not have any appetite and know their condition? ❀ And the mourners? All of them have lost one or more loved ones, all of them have cried and have open sores, badly healed wounds, and still bleeding, they present themselves on the solemn day of remembrance, on the official day, on the day of the Church, and what for? to enroll voluntarily in the list of those who pray and sob? No: to subscribe to Bejarano's enclosure and Fulcheri's menu. ❀ And emotion, and grief, and mourning? Will all of these flowers of the soul go on joining the category of the marigold that is the most

common and ugliest of flowers? Have luxury and pleasure robbed this generation's soul of spirituality and morality, gratitude and remembrance, sensitivity and logic? We do not know, but it is heartrending that there is something sadder than death: the happiness and indifference of the living. In any case, here we have a fact, on the basis of which we should not create any illusions for ourselves about the future, because *después de muertos*—after death, or after the Day of the Dead—awaits us not only the tomb with all its honors, but Bejarano's enclosure. ❀ *Translated by Henry Munn.*

DEFIANCE LOST

FEAR OF DEATH: ANGUISH IN LIFE

Paul Westheim

Where, my dear, is my place in life?
Where is my one true home?
Where is the mansion I need?
I'm suffering here on Earth!
Cantares mexicanos

The skeleton as an artistic motif is nothing new. Popular Mexican imagery has delighted in representing death for millennia, just as Renaissance and baroque artists enjoyed painting angels and cupids. But this did come as a tremendous surprise—and perhaps even a traumatic experience—for visitors to the Exhibition of Mexican Art in Paris. They stood in front of a statue of Coatlicue, the goddess of life and of the Earth, who wears a death mask; they contemplated the skull that an Aztec artist carved out of rock crystal (one of the hardest minerals), investing in the creation long

Mourners, baked painted clay, Metepec, State of Mexico.

hours of work and his extraordinary skill in the craft; they looked at the etchings done by popular illustrators Manuel Alfonso Manilla and José Guadalupe Posada, who used skeletons to comment on social and political events at the time. They were informed that in Mexico, it is traditional on November 2 for parents to give their children skulls made of chocolate and sugar, each bearing the recipient's name on the forehead, and that the young people gleefully devour these macabre candies as if it were the most natural thing in the world. They were fascinated by the folk artists who used the humblest of materials—fabric, wood, clay and even gum--to create the skeleton dolls dressed in rags that are very common, well-loved toys among the Mexican people. Paul Rivet, in an account on the exhibition, spoke of unexpected designs, and asked, "What can be said about those dolls representing a bride and groom, but that are in fact skeletons?" This question reveals not only amazement but a hint of fear. For Europeans, the thought of death is a nightmare, and they hate to be reminded of the brevity of life; thus, to find themselves before a world that seems free of that anxiety, that plays with death and even mocks it, can only lead them to wonder about the strangeness of a place with such an inconceivable attitude. ❋ Ancient Mexico did not possess the concept of Hell. It is possible and even probable that the obscure memory of an afterlife that is open to sinners lives on to this day in the people's subconscious (especially that of indigenous people). The image of the skeleton with the scythe and hourglass as the symbol of all things mortal was in fact imported into Mexico. On those occasions when it is used—for example, in representations of *danse macabre*—it is im-

mediately adapted, acclimatized, Mexicanized, as in the case of Manilla and Posada. Xavier Villaurrutia, whose poetry revolves almost entirely around death, once wrote, "Here it is very easy to die, and the more Indian blood there is coursing through our veins, the more attractive death becomes. With more Spanish or Criollo blood, we fear death more, because that is what we are taught to do." The psychic burden that gives a tragic tone to the lives of Mexicans is not the fear of death, as it was two or three thousand years ago, but the anguish of life, the awareness of being exposed, and with insufficient means of defense, to a life plagued with danger, filled with the essence of evil. ❋ The Indian's personal conviction that all life is suffering, that the submissive and the weak are the permanent victims of the strong—something that Rouault expressed when he included a quote from Plautus in one of his etchings from *Misery and War*: "Man is a wolf to man"—meant that the religious art of colonial Mexico passionately embraced the theme of Christ crucified in a thousand poignant variations, his body tortured by inhuman executioners, bleeding in a thousand terrifying ways. It is significant that such representations abounded in the eighteenth century, when Indian and Mestizo artists, nearly all of them anonymous, began to imprint their character and mentality on religious art. And the fact that these paintings and sculptures were found above all in simple village churches, in indigenous communities on the fringe of urban civilization, leads us to conclude that the martyrdom that man inflicts on man is a profound experience, primarily rooted in the Indian's sentimental world; and also that he is so drawn to the Christ figure because he feels torture as something very personal. Clearly, such a "pathos of material pain"—if I might cite Werner Weisbach's phrase in *The Art of the Baroque*—originates in Spanish realism, or more to the point, verism, which takes pleasure "in unbalancing the notion of life with bloody, terrible, frightening images." But it is also very clear that Mexico seized this theme with intense fervor—comparable to that with which it appropriated the churrigueresque style, providing it with all the pageantry and exuberance fitting to its particular idiosyncrasy—and that the colonial Nazarene is not simply a variation of

the Spanish version, but an independent creation, the work of a specifically Mexican sensibility. "In those utterly wretched Christ figures of blood, sweat and tears, we find, with the infallible punctuality of the extraordinary, much of the dramatic indigenous mythology taking refuge, with forced comfort, in the meager and lamentable image of the village," writes Luis Cardoza y Aragón in his book, *Pintura mexicana contemporánea* (Contemporary Mexican Painting). ❋ Anguish in life. Let us recall the words—written in the *Florentine Codex*—that the Nahua father said to his daughter when she reached the city at the age of six or seven: "Here on Earth, it is a place of much sorrow, a place where [...] bitterness and dejection are well known. A wind of obsidian blows and glides among us. [...] It is not a place of wellbeing here on Earth. There is no joy, there is no happiness." ❋ Let us also recall a masterpiece by a painter from our days: *Tata Jesucristo* (Grandfather Jesus Christ) by Francisco Goitia, who, speaking of two women represented in his painting, said, "They are crying the tears of our race, our hardships—our tears, which are different from those of other people. All of Mexico's anguish is in them." The motive behind their sobbing is life, the pain of life, the uncertainty that is man's life on Earth. ❋ Ancient Mexico did not tremble before Mictlantecuhtli, the god of death; it trembled before that uncertainty that is the life of men. They called it Tezcatlipoca. ❋ *Translated by Michelle Suderman.*

GRAPHIC DEFIANCE
JOSÉ GUADALUPE POSADA'S
CALAVERAS
Luis Cardoza y Aragón

José Guadalupe Posada was born in Aguascalientes on February 2, 1851, when the enormous wound left by the American intervention of 1847 was still bleeding profusely: Mexico had lost over half its territory. In his childhood and adolescence he lived through the convulsions caused by the Laws of Reform, the French intervention and Juárez's battles; Porfirio Díaz's dictatorship and the gestation and initial triumph of the Revolution with Madero's entrance into Mexico City. Posada died in Mexico City on

January 20, 1913, mere weeks before Huerta betrayed and murdered President Madero. He died as he had lived: virtually alone and poverty-stricken, after having worked for many different newspapers, as a book illustrator, making posters for bullfights, circuses, theaters, and so forth. ✳ Posada was not an artist who got close to the people. To begin with, he was not even sure about considering himself an artist. He was unaware of his everyday state of grace. Let us not forget his kinship with the composer of the popular song known as the *corrido* (Constancio S. Suárez, and possibly others) and with the typographer's humor. They had a sense of who they were—working-class Mexicans—and the imagination, the sense of fancy, the genius or the cleverness to objectify that and give it shape with illustrations, words, and the tone and rhythm of popular songsters. That is, these men did not get close to the people, they weren't popular: they were the people. ✳ Posada's *calavera* illustrations and poems not only had a critical or satirical connotation: they were also eulogistic or festive. Though calaveras were widespread in Mexico even before Posada, it is thanks to him and to the vast popularity he gave them that they became the deepest and most original trait of Mexican folk art—Juan Larrea called them "the national totem." ✳ Death is a universal theme of human expression. The way in which we care for it, the familiarity, the tenderness, the sensitivity with which Mexico regards death, its obsession that is neither tragic nor funereal but nuptial and festive, its immediate everyday nature, its imperious and serene visibility, its burbling laughter rather than a moan, contain the unlearned wisdom of a cosmic, playful conception. This conception that seems perpetually awestruck and so unique to Mexico harks back to pre-Columbian traditions interwoven with those of medieval Europe, with its *danses macabres* and Last Judgments. The Mexican version of the Grim Reaper, on the other hand—a vital one, a song of life, sublimated in sacrifice—did not treat us as men but as gods. ✳ Posada's calaveras—threshed Coatlicues and *tzompantlis*—are the motif that reveals the most about his work and about himself. Today, foreigners appear more capable than Mexicans of detecting what lives behind that narcissism of death.

The clarity of the intention exposes a secular hunger for the sacred, the stratification of myth, softened in what is reflexive and fantastic in the extreme. Before the absurdity of death, there is no place for tragedy, only for humor, and it answers its questions with joviality. Death responds to its own questions. Its answer: the certainty of it, of death, is forever. And a magical rebellion breaks out, one in which men and women and children and animals strip off not only their masks but also their flesh—they are no longer skinned but eaten away by a time that clocks do not even dream of. The definitive identity is reconquered; the ego becomes everyone, and not just the Other. This dawn foray toward the primeval is something that Posada does for us without suspecting it, like the magician at the fair who pulls real doves out of his handkerchief. Posada enjoyed himself so, reading all the tributes to his talent, visiting his own exhibitions in Mexico and abroad, bewildered like the magician at the fair whose occupation of illusionist is no longer mere façade. Posada does not realize that he remembers, and rises to his own level like water does, without ever obeying any mandate, within a concealed, personal resemblance that is not just a family likeness: it is absolute identicalness. This Posada—with his ear to the ground, listening to its pulse—is the one that most fascinates me. Here is the desire to be of stone and to not be: his doves are real. His excessive thirst from a distant and endless hangover. He does not know that

he remembers. His calaveras are based on the incandescent syllables of an obscure language that all men have babbled about finiteness. There is a clouded liberating awareness of how man is enslaved to death, the creative obsession of a "heart that puts forth flowers in the middle of the night," hymns to the night of a death that is not mourned but rejoiced, flowered and sung, with the Heraclitean lyre and bow. Communion, when we devour the sugar skull, is an unprepared ritual, scarcely transposed from the eroticism of sacrifice. We reach inside ourselves in search of an order required by the only absolute reality, the reality of death, or communion with it. In Mexico, death and life form such an immaterial coin that it only has one side. Holy water on the embers of Aztec passion lights a fire, and the cross on the forehead on Ash Wednesday mixes with the blood of the sacrificial victims: this is the kind of confluence that occurs in Posada's calaveras, with the naturalness of the ocean depths of innocence in the child's greedy bite out of a sugar skull. ✳ Posada, in the first place, and later Orozco and the printmakers at the Taller de Gráfica Popular (Popular Graphics Studio) headed by Leopoldo Méndez, used calaveras in satire, in popular odes (*Corrido de Stalingrado* by Leopoldo Méndez, among others), with a range of emotions and thoughts. Here, the calavera was used not only for the date on which the Studio produced them and continues to produce them (November 2, the Day of the Dead), but because they wield a fascination over the people's imaginary. The sugar skulls, the candy coffins, the caramel tibias and femurs, the Judases, the cardboard masks and dolls, and so forth, are not unbecoming topics of Mexican folk art, because of the power of the memory and the flavor of that universe. ✳ *Translated by Michelle Suderman.*

POPULAR DEFIANCE
SKELE+ONS
Ruth D. Lechuga

PLAYING WITH DEATH

It is not known when the tradition of making toys for the Day of the Dead first started. According to a detailed description by Antonio García Cubas, it already existed halfway through

José Guadalupe Posada, *Don Juan Tenorio.*

the nineteenth century. In all likelihood it is a more ancient custom. ❁ Some toys are made to be placed in a Day of the Dead offering dedicated to deceased children so they can entertain themselves during their return visit to Earth. But they are often made for living children, who love to play with the small multitiered tombs, miniature burial scenes, priests with chickpeas for heads, tiny offerings and many other objects. Skeletons figure predominantly among these toys. They are frequently engaged in common mortal tasks: the typist hammering away at the keys of her typewriter, a woman grinding corn on her stone *metate*, another making tortillas, a writer filling page after page with his ideas. Other skeletons are vendors of all kinds of wares; or brides and grooms about to be wed. Some skeletons are seen enjoying a bubble bath, while others sport the headgear of different characters: chef, bullfighter, a dandy in a top hat, a woman with hair rolled up in big curlers... There are also skeletons lying in their coffins that sit up when a string is pulled. ❁ Another important tradition is the presentation of sugar skulls. They come in many sizes and are often decorated with a hat or flowers also made of sugar. These pieces are usually given away to friends or to courting couples, always with their names affixed. Aside from Mexico City, Toluca is a big production center for these pieces, as well as other places in the State of Mexico, such as Tenancingo. ❁ The skeleton's popularity as a folk art motif spreads beyond that of objects made for the Day of the Dead. Skeletons appeared as paper-mâché Judases in a Holy Week tradition still

José Guadalupe Posada, *The Skeleton.*

very much observed in the 1960s. These huge figures measuring four or more meters in height were bought by large stores and decorated with gifts. At eleven in the morning on Holy Saturday, when church bells chimed to announce the Glory, these pieces were set off as fireworks. Smaller Judases were also made and continue to be, often as skeleton figures. ❁ Several generations of the Linares family in Mexico City have been celebrated as manufacturers of Judases. But they also produce decorative sets of skeletons in different situations. For example, in 1986 the National Folk Art and Crafts Museum exhibited a tableau entitled *Death in Tremors,* created by artisans to commemorate the massive earthquake of the previous year. In this scenario the skeletons represented rescue workers in action, citizens anxious to help, the wounded they managed to pull out from some collapsed building, as well as the thieves that carried off televisions or other objects from amid the rubble. ❁ Like the Linares, many folk artists make skeleton figures that change from year to year. In Metepec, in the State of Mexico, the customary "Trees of Life" metamorphose into "Trees of Death." Mexico City inhabitant Roberto Ruiz, who was awarded the National Arts and Science Prize in the Folk Arts and Traditions category, prefers the death theme for his miniatures. His pieces are carved out of bone in a mind-boggling variety of forms. Another artist who concentrates on the theme of death is Saulo Moreno, who makes his figures out of wire and paper.

DANCING WITH DEATH

Skeletons are not just confined to all kinds of street-art objects. They show up at some festivals as dancers wearing death's-head masks and black costumes painted with white bones. ❁ Although dances are performed in some villages on November 1 and 2 to fête ancestors that are believed to pay a return visit on those days, they do not always feature a skeleton. But in Tepoztlán, Morelos, children dance with rod-and-paper skeletons that are often taller than their partners. ❁ The main character in the Tecuán dance—which is performed on various occasions—is a tiger. In the version from Acatlán, Puebla, however, a skeleton is also

present. The sky's the limit for dancing skeletons. ❁ Not only the center of attention on All Souls' Day, skeletons are important figures at other fiestas, for instance, in the dances associated with moralizing plays that the missionaries used to teach religion to the Indians, namely *The Three Powers, The Mute People, The Seven Sins, The Saint Michaels, The Devils* and so forth. The state of Guerrero in particular has many such manifestations. For example, Tixtla's version of *The Devils' Dance* portrays Lucifer's fall from Heaven, while a group of devils on the mountainside do battle with women and personifications of Death by turns. In Colima, for example, a Grim Reaper will occasionally appear in Nativity plays—another hand-me-down from the moralizing plays. ❁ In a few Holy Week dances, the Jews or Pharisees who kill Jesus Christ wear masks, which in some villages symbolize the nocturnal forces that emerge at the end of every year to take possession of the Earth. On Holy Saturday, with Christ's resurrection, the danger implied by these forces vanishes. Among Jewish people, the personification of Death is common, albeit without any specific dancing role. Places where this takes place are El Doctor, Querétaro; Tanlajás, San Luis Potosí; San Bartolo Aguacaliente, Guanajuato; and Jesús María, Nayarit. ❁ Mardi Gras or Carnival is another fiesta that might feature skeletons. The Tejorones dancers who perform at Carnival on the Mixtec coast of Oaxaca interpret many different scenes, such as a tiger hunt, childbirth, or a skirmish between an old man and a female skeleton, when the former is sometimes victorious. In Naolinco, Veracruz, one of the Moors in the Moors-and-Christians dance wears a skeleton mask. On the Tarascan plain of Michoacán a change of administration is accompanied by the dance of The Old Men, of which there are two versions: the Handsome Old Men and the Ugly Old Men, the latter making fun of the former. In San Juan Nuevo, the leader of the Ugly Old Men is a skeleton. ❁ All these representations speak of the endless creativity of folk artists in making traditional and decorative objects alike, and assure us that the Mexican tradition of personifying Death, far from dying out, will continue to find fresh new artistic expressions every day. ❁ *Translated by Carole Castelli.*

SUGAR BRIDE
Ana García Bergua

I enticed Rosenda with some candles encircled by huge roses that I had placed on the altar for the Day of the Dead. That year I decided to decorate it without incense or skulls. My neighbors told me it looked more like a wedding arrangement, with the cake and the bottle of champagne instead of the classic tequila or beer. In the center I placed a portrait of Rosenda, yet another of those that I had found in my grandmother's trunk. I presumed she had been a relative of ours and would for some reason deserve to return. ❁ I slipped into bed and pretended to sleep for several hours. Suddenly, in the wee hours, I heard mouselike noises. Beside the altar I found Rosenda wolfing down mouthfuls of the wedding cake. Her rather threadbare white frock, tied at the waist and with plunging décolletage in the fashion of her day, was getting spotted with cream and crumbs. No one had ever brought her back, she said, since her death; she felt she had spent centuries plunged in utter darkness that smelled of earth. How long has it been? she asked me in surprise. Not so long, I answered, without clarifying just how long. She was a very beautiful woman, voluptuous, yet with a look of fear in her eyes. Against her bosom she clutched a few chrysanthemums made of cloth. She was worried that this was the Final Judgment, that no one was going to forgive her for her many sins. Don't fret, I whispered, taking away her bouquet, I forgive you. I put my arm round her waist and we opened the champagne. In exchange for having her listen to me and being able to touch her, I offered to quench the thirst and hunger she had suffered for so many years. That's enough, she told me, feeling satisfied when, hours later, daylight began to creep in. She then made ready to return to her unknown land, but I locked her in the closet, paying no attention to her muffled cries and complaints. I will turn to dust, whether you like it or not, she sobbed. I let the whole day pass until the closet was silent once more. Meanwhile, I busied myself ceremoniously disassembling the altar. At twilight, having placed supper on the table and uncorked a bottle of red wine reminiscent of blood, I decided to take my dead woman out of the closet, with the certainty of finding her merely asleep but hungry. But to my great disappointment, among my grandmother's white silk shawls lay, as if blown in by the wind, a sugar skull bearing the name Rosenda on shiny paper on its forehead. It crumbled to dust in my fingers. ❁ *Translated by Carole Castelli.*

REMEMBRANCE, DISCOVERY, SELF-ASSERTION: CHICANO CUSTOMS ON THE DAY OF THE DEAD
Tomás Ybarra Frausto

Mexicans in the United States maintain and transform ancestral culture in dynamic, fluid and inventive ways. Patterns of culture manifest heterogeneity and variation within the Mexican community itself. Regional, class, gender and historical factors influence cultural survival and change. ❁ From ancient times to the present, Mexican culture has been anchored on the concept of duality, the eternal flow between opposites in the cycle of life and death. Commemorations of death are at once celebrations of life; rituals of remembrance, discovery and self-assertion. Chicano customs for the Day of the Dead reach back to millennial sources, incorporate present bicultural attitudes and anticipate future cultural formations.

REMEMBRANCE AND DISCOVERY
The Day of the Dead is a time of remembrance where the living relate to their dead in direct and familiar ways. ❁ The sociopolitical activism of Mexicans/Chicanos in the mid-1960s and the 1970s created a mass national movement of cultural regeneration, recovery and reclamation. Mexican and Southwestern traditions were appropriated by community-based cultural workers and revitalized, given new meanings in diverse contexts. A spectacular example of this process of cultural transformation was the recovery and reinvention of the Day of the Dead by artists' groups and community art centers. ❁ One of the initial resurrected traditions was the reintroduction of José Guadalupe Posada's iconography of *calaveras*. These humorous skeletal figures who mimic the foibles of humankind in the realm of the dead were rapidly incorporated into the Chicano visual vocabulary in posters, murals and diverse forms of visual art. ❁ Based on Posada's calaveras, El Teatro Campesino (The Farmworkers' Theater) formed a *banda calavera*, a merry, boisterous band of musicians outfitted in skeleton costumes who paraded through the barrio announcing the theater's performances. Soon *calacas* (death figures) gamboled and pranced about the stage in many sketches created by the Teatro Campesino and subsequently in performances by countless theater groups throughout the country. ❁ The full pantheon of Posada's calaveras soon began appearing as illustrations in community newspapers and student journals in colleges and universities. This tradition of print calaveras had been maintained in urban Chicano communities since the turn of the century and was

Miniature offering inspired by altars in Oaxaca, Mexico City, 2000.

now reinforced and expanded. Privately printed and financed by local business concerns, the print calaveras are broadsides or booklets with satirical verses lampooning notable community personalities. "Calaveras" in this case refer both to the witty, mocking poems and the skull and skeletal illustrations. ✻ Another ancient Mexican tradition that was reinvented on this side of the border was that of the *ofrenda* (an altar or shrine made as an offering to the dead). In Mexican/Chicano communities, the ofrendas tend to be collective commemorations created by artists in public spaces such as art centers, galleries or museums. The individual aesthetics and skills of trained artists reinterpret the traditional ofrenda into fanciful, political and personal visions. The altar form is retained not in its religious context but simply as a functional framework for the display of multilayered accumulations of objects. While traditional elements like candles, flowers, food, images of saints and photographs of deceased persons remain, Mexican/Chicano ofrendas always include objects culled from a bicultural lived experience. ✻ While the Chicano movement revitalized many Mexican "folk" and "high" art traditions, it also recovered cultural patterns and customs sedimented in the older Mexican settlements of the Southwestern United States. Through audacious and forceful new community rituals, parades and pageants, memorialization of death mixes the old and the new to underscore the eternal cycle of life and death.

SELF-ASSERTION

If the 1960s and 1970s were periods of cultural remembering and discovery, the millennium beyond the 1990s portends a phase of active self-assertion, a time of Mexican/Chicano political affiliation with other domestic Latino groups, and cultural connection with subaltern groups worldwide. ✻ Within a new American landscape of multiculturalism, Chicanos will deepen their connections with ancestral Mexican culture engaging in a new and more mature cultural dialogue with contemporary Mexico. Tracings of this new interface with Mexico are beautifully deployed in Lourdes Portillo's film *La Ofrenda* (1989). Tracking traditions of the Day of the Dead on both sides of the border, the film is a powerful depiction of cultural retrieval and empowerment through the remaking of tradition. The following collage of voices from the film allows us to glean current Mexican/Chicano attitude toward the Day of the Dead. ✻ **Concha Saucedo:** For us *Día de los Muertos* is the day on which our ancestors visit us, and it's the day that connects us to our cultural past. And for people who are separated from their homeland because they're in a foreign culture, and even for those of us who were born here, it becomes a central way of reinforcing [...] the community itself. ✻ **Amelia Mesa-Bains:** Mexicans/Chicanos have revived and adapted Día de los Muertos. For us, the past is a never-ending source of active nostalgia. Here our celebrations may be different in form to those in Mexico, but the spirit of the tradition lives on. Art is about healing. When people participate in art, when they make it, when they view it, it's the same as making yourself well. ✻ **Concha Saucedo:** *La cultura cura* means, if we were to translate literally, "culture heals," and essentially what it means is that there are elements in every culture that make people healthy—and particu-larly for Latinos. We have sometimes had to separate ourselves from that culture, and that separation, that dislocation, has created an imbalance, which in effect is unhealthy. And when we are saying "la cultura cura," we are saying "return to your culture," maintain your culture. ✻ Our struggle is also a battle of memory against forgetting. We must redeem and reclaim the past in ways that transform present reality.

RETHINKING DEFIANCE

DEATH
WITHOUT SKELETONS
Alfonso Alfaro

We Mexicans like to feel different, special. This attitude is rooted in the idiosyncrasies of the country that our ancestors began building in the viceregal period. A society like this one that aspires to be a nation needs unifying feelings, converging references, elements identifying its tribe's members and distinguishing them from others: representations in which everyone can recognize his or her own features, no matter how fragmentarily. ✻ Given the absence (fortunately enough) of a sacred, metahistorical association like those posited by collectivities united by blood ties or a common spirit, and also given the lack (unfortunately enough) of the kinds of bonds characteristic of societies founded around a common project, our ancestors and compatriots have had no other option but to create a communal identity which they have constructed over generations. This identity is based upon our history and its signs and thus belongs to the realm of symbols, representations and culture. ❀ In Mexico, the strength of these cultural ties (*i.e.* living imagery, complex recollections, community rituals) manages to counterbalance, to a degree, the serious fragmentation of social networks and the precarious nature of vaguely defined common goals.

PATRIOTIC DEATH:
THE GRINNING SKULL
AND MESTIZO NATIONALISM

A memory of historical cataclysms (the Conquest, invasions, revolutions) that naturally overlaps another, more deeply ingrained memory of earthquakes, added to a long list of thwarted dreams and dashed hopes, led Mexicans to construct one of our most popularly accepted myths: that we are a people with a special relationship with death. According to this collective fantasy, our familiarity with adversity allows us to laugh at it, and thus exact a subtle sort of revenge on our hard lives. ❀ As matrilineal descendents of a people who made offerings of human hearts to Huitzilopochtli and as patrilineal descendents of the illuminati who stoked the Inquisition's bonfires, we could not be just like any other nation—at least, that's what twentieth-century Mexicans thought. ❀ As a national identity took root during the post-revolutionary period, there also arose the fascinating image of a country whose inhabitants were treated in a peculiar way by the dead. ❀ The founding myth of the "Mexican exception"—the alliance at Tepeyac Hill that turned this territory's scions into the chosen few—was thus officially sanctioned and ratified; at the same time, it acquired a different kind of sacredness that was acceptable to the heirs of both liberal and republican laicism. According to the theory that acquired increasing credibility over the twentieth century, we Mexicans have won a kind of poetic victory over that pale shadow which obliterates our hopes and loves at one fell stroke of its scythe: we have lost respect for it and are thus able to stare into its empty eyes, having turned this terrifying figure into something familiar and even ridiculous—nothing more than dry bones. ❀ It goes without saying that this is not a true victory like the one that Christianity posits: evil (death being merely a natural consequence of it) defeated by a sacrifice that

redeems us, symbolized by the resurrection of a divine being ("death, where is your victory?"); on the contrary, it is about the underdog challenging the powers that be (a defiant stance not unlike what the French call *pied de nez*) based on a realistic awareness of one's own limits—an attitude perhaps even distantly related to the stoic or Epicurean one. ❀ Artists involved in the revolutionary nationalist movement (from José Guadalupe Posada to Diego Rivera) played a decisive role in sketching out this image of a people who could laugh at death and mitigate the species' unfortunate fate with a sharp, playful remark. They tried to endow the country with a new spirit and aesthetic language. They wanted it to be modern, progressive and for it to reach beyond the bounds of Catholic culture which they deemed "retrograde" and "obscurantist" and which bore a deep influence on both high art and folk art in those days. ❀ Paradoxically, the most Christian of European legacies—the medieval one—played a decisive role in the formation of this new image. The playful, mocking attitude toward death that revolutionary artists advocated as an idiosyncratic expression of the Mexican spirit bears an elemental kinship with the *danses macabres*. In them, Europeans of the late Middle Ages expressed their ambiguous relationship with the forces of the pre-Christian pantheon—still very much alive at that time—while experiencing a catharsis for the tensions arising from their conflicts with power and authority in a social system with firmly established, practically immutable hierarchies. ❀ These manifestations—common to both folk and high art—reached their peak at the turn of the fifteenth century and pointed to the cracks in an infrastructure that was about to collapse. The eerie high jinks of dancing skeletons thus also echoed the revolts, hunger and plague announcing the Autumn of the Middle Ages, as evoked by Johan Huizinga. ❀ The grotesque, frenzied imagery of European dances of death was used as a decorative motif on etching plates and cemetery walls alike. In them, worldly powerbrokers (wearing crowns, miters or tiaras) were transformed into ridiculous, fleshless dancing skeletons and mingled with the lowly masses—their subjects—who were reduced

to the same condition. All the noble families and dignitaries in a society whose class structure (the hierarchical "orders") was practically set in stone were thus felled by the same definitive, inescapable sickle: a glimmer of wisdom proclaiming the human species' indivisibility ("...*et in pulverim reverteris*") by lamenting life's brevity, by crying out in agony for the end of a troubled epoch and by exacting a bitter revenge by laughing out loud at it. ❀ In their attempt to purge from society everything that was Hispanic or Christian, the Mexican Revolution's heirs turned back to what they considered to be the other cradle of our cultural memory: the pre-Columbian world and twentieth-century indigenous societies. They believed there was a bountiful, autonomous substratum of culture which, in spite of its oppression by adverse powers, had managed to remain uncontaminated by European influences. They thought this spiritual wellspring still existed in rural communities—in the country folk who had given their blood to the revolution and aspired to once again take control of history. In the eyes of nationalist artists, the various manifestations of pre-Hispanic and folk art, grouped together as a single choir, were the complementary voices in the nation's song. ❀ The recourse to this twofold inspiration, the fusing of these two forms of culture into a single image— as if twentieth-century rural societies were the direct, full-blooded descendents of native American civilizations, and as if the viceregal era had been but an ill-fated historical parenthesis rather than a period in history in which the foundations for a new society had been established—contributed in a powerful way to consolidating the cultural model of revolutionary Mexico. ❀ Paul Westheim—who in 1953 began analyzing the disturbing affinity between formal expressions of the macabre medieval spirit and those that were becoming the norm among progressive sectors of Mexico City society— painted a much richer and more nuanced picture. Though he failed to question the budding myth, he observed the grave, tragic character of conceptions of death in pre-Hispanic societies (which naturally contrasts with the ecstatic spirit of revolutionary skeletons). ❀ The dream was

Opposite page: Hieronymite nun, unbaked painted clay, Metepec, State of Mexico.

nonetheless beautiful as well as useful (it allowed Mexicans to create a deep, intangible cultural nexus and added to the collection of specific elements that they seemed to have in common) and it indeed followed its own course, its influence growing steadily as the Mexican Revolution itself became an object of patriotic worship. ❀ The century's most notable intellectual, Octavio Paz, bore a decisive influence on the formation and consolidation of the image of our country as an exceptional place in terms of the way it dealt with death. In *The Labyrinth of Solitude*, Paz speaks of his own disenchanted outlook on life and history, characteristic of an individual who is the product of high Western culture and who identifies with Voltaire's and Kant's legacies, but also with Goya's. The book was written in Paris in 1950, coinciding with the time and place of birth of existentialism. ❀ Paz's spirit of honesty—most likely that of an agnostic who was deeply aware of the transcendental dimension of both the human being and the universe—his objective, critical intellect—keeping him from falling under the spell of totalitarian illusions—his kindred sensibility with Lucretius and Petronius, making him wary of utopian dreams: all this allowed him to perceive the truly noble and yet tragic, Epicurean dimension in the aesthetic project of the generation of artists that preceded his own. As it is depicted in Paz's work, death is the end rather than salvation, since one is not redeemed through suffering—indeed, it is only art, work and love that can save us (albeit provisionally). ❀ The way in which revolutionary artists and popular culture in general within Mexico City's urban context faced death—hilarious and hurt, resigned and ironic, rebellious, despairing—was masterfully described in Paz's essay, leaving a deep mark on Mexicans' self-awareness. ❀ In his penetrating meditation on the reality and fate of his homeland, Paz gave life to a literary character who allowed him to exemplify the transformations of a youthful country still

trying to figure out which course to follow at a time when its future remained undefined. This character's name had already appeared in Mexican literature, particularly in Samuel Ramos's work, but it is Paz who fleshed him out and turned him into a pillar of Mexican culture. ❀ "The Mexican" of whom Paz speaks is not a prototype acting as a representative specimen of all the country's peoples (like a sociological or statistical example); rather, as the author of *The Labyrinth* explicitly states, his features are based on a single sector of the country's population: the man of the post-revolutionary age, aware of his society, striving to construct his own identity as a subject and committed to building a better Mexico. ❀ Mestizo Mexicans—hungering for modernity but still living in a world permeated by the baroque spirit, recently deprived of the community references that had lent their lives harmony and security and thus impelled to search for symbolic points of reference, concerned with making their nation a respected one in keeping with the grand ideals of Criollos from the viceregal period—were singled out (among the country's wide spectrum of communities) as models based upon which the great poet and essayist would construct a wonderful literary persona: "the Mexican," the Malinche's bastard offspring who, sobbing and laughing at the same time, chokes on *pan de muerto* (bread traditionally made for the Day of the Dead), while his shattered soul explodes in the main square along with the fireworks after dusk on Independence Day. ❀ Sketched out by Paz's talented hand, this image was the living portrait of certain sectors of the urban population (especially those living in Mexico City) whose features merged with those of an ideal subject seeking his roots in the cultures that are the product of the Enlightenment and Romanticism. *The Labyrinth*'s readers (a restless, erudite fringe of Mexican society: the spiritual offspring of nineteenth-century liberalism) were fascinated by the fact that they could identify with this character who, though his roots were immemorial, yearned for emancipation and the freedom to determine his own fate. ❀ Swelling the ranks of the Mestizo cultural majority—over these years of accelerated social integration—many Mexicans came to accept as their own a poetic depiction that was a social project in and of itself. Individuals recently incorporated into nationalist culture finally knew what the features of their country's identity were—in lay or non-confessional terms—and what characteristic image of their nation they could present to a world whose acknowledgment was essential to them; thus, they enthusiastically adopted the new physiognomy depicted in this dazzling text, eventually turning it into a mirror. ❊ Thanks to *The Labyrinth*, numerous inhabitants of the country's various regions learned what being Mexican meant and found out that one of the basic traits of their homeland's cultural identity was an ironic, playful and defiant stance on death. They then began to slowly adopt an imagery, rituals and opinions with which many of them had had no prior contact. ❊ During the same epoch, other archetypes of the same nature were conceived, disseminated and superimposed on the one we just described. In *Artes de México*'s issue on tequila (no. 21), we explored how this regional liquor's symbolic image was constructed and linked to the figures of the *charro* and the mariachi, and how this image reinforced the models needed by a society eager to adopt a consistent national identity. ❊ Later, as revolutionary nationalism turned into an object of consensus, its models and aesthetic were disseminated more broadly, sometimes to the point of becoming cliché. There arose a Day of the Dead (based on the comic-macabre model described above), at first unofficially and then almost officially recognized by many branches of government. The aesthetic of the skeleton then spread to the realms of state-sponsored art and to more independent experimental practice, consumerism and advertising. ❊ "Skinny Death riding its scrawny mule" (cry the *lotería* callers at town fairs, to describe this figure on the game board), the disjointed, wisecracking figure of death that served as a model for Mestizo nationalism (and whose emblematic depictions are sugar skulls and the *Catrina*, or Death dressed as an elegant lady, as seen in one of Diego Rivera's murals) has spread, along with urban culture, practically across the whole

country in less than a century, exemplifying the progress and consolidation of a communal identity. Today, even in regions where fifty years ago no one had heard of this image of death, funeral offerings imbued with an air of lightheartedness, humor, irony and irreverence can be seen everywhere in late October and early November. ❊ It is important to note that in Mexico—as in the European tradition—even the most conventional expressions of official folklore, colorfully decorated sugar skulls and dancing skeletons refer to the living rather than to the dead. The names written on skulls are our own (and those of our friends or of contemporaries blessed by power, fame and fortune) rather than those of the dearly departed. This ritual is a playful way of expressing the message behind Ash Wednesday—that the sickle that cuts down everything in its path makes us equals, that hierarchies are merely provisional since there exists a deeper reality invisible to our worldly eyes. ❊ The folklore surrounding death rites may be more rooted in the medieval European (and hence culturally Christian) tradition than our society would like to admit. It might be yet another manifestation of the fact that our cultures are firmly tied to the baroque world—a world where death never lies out of sight, or out of one's awareness. ❊ The corrosively critical *calavera* (a poetic eulogy in life directed at the powers that be) thus coexists with an affectionate version of the same (in verses dedicated to our friends). The latter not only unites us by implying our kinship and common frailty: laughing with someone can also be a rudimentary and often clumsy way for shy individuals to express their affection for someone from a safe distance.

DEATH WITHOUT
THE GRIM REAPER:
FILIAL TENDERNESS AND RESPECT

The myth has proved to be effective because of its multiple meanings: in formal terms, the visual symbol for the new nationalist folklore is practically indistinguishable from and bears the same names as another object that functions on an entirely different symbolic level—the altar for the dead or offering. Viewing them superficially or from an outsider's perspective, one might think

that these short-lived monuments that seem to abound in government buildings or Mexico City hotels and restaurants are identical to those that devout families in rural areas or residential neighborhoods use to decorate their homes or the graves of loved ones. In either case, we are dealing with compositions featuring flowers, candles, incense, food (most often bread and fruit) and evocative objects referring to a person or a theme and exhibiting varying degrees of fantasy (and sometimes true outbursts of creativity). But this is where similarities end: the home altar is always made for specific individuals and the mood of the ceremony is always serious, tender, imbued with respect and longing. There is no mockery or irony here. ❊ Rural families from countless regions of Mexico—above all, those from predominantly indigenous cultural areas (as tradition is not as deep-rooted in places where Criollo culture is dominant)—have learned from elders that souls that have gone to Heaven as well as those lingering in Purgatory are only allowed to come and visit their relatives once a year when the Catholic Church's calendar commemorates All Saints' Day and All Souls' Day. That is why they carefully draw a path strewn with marigold petals that will guide the dead to the banquet table, set up in their home's main room; that is why, at least one day ahead of time, they begin cleaning and sprucing up their loved ones' graves. Preparing the feast requires the whole family's participation and considerable expense—the fact that it takes place at the height of harvest season is no coincidence. Putting the offering in place kindles intense emotions: the head of the family sometimes says a few words about those who are honored that day. In their respectful, heartfelt speeches, they place the emphasis on filial duties and deference, and explain to their children the values on which the cohesion of rural families is based: solidarity, respect, remembrance and generosity. ❊ This celebration is the most important event in the ceremonial life of millions of Mexicans. It is how they commemorate what they glean from their productive activities (agriculture) and strengthen the most important

Opposite page: Groom (detail), painted paper-mâché on wire frame, Mexico City, 1988, Ruth D. Lechuga Folk Art Museum.

network in their social life—the family—while community ties are reaffirmed and reinforced in mutual visits, invitations and hospitality. Paying homage to one's ancestors allows small children to clearly understand the responsibilities they will have as adults, deriving from a sense of gratitude: to be considerate of their parents and care for them not only through their senior years but also after death. Remembering is a way of prolonging life, of mitigating over generations the tragic effect brought on by the definitive annihilation of an individual, a consciousness or a hope. (Westheim notes that to ancient Mexicans, individual identity continued to exist over a span of several generations before it merged with an undifferentiated cosmic soul.) ❄ The commemorative rituals that so many families from different states of Mexico carry out with such feeling—sparing, moreover, little time, effort or expense—links them to other peoples around the globe (in Asia, for instance) where ancestor worship lies at the heart of ceremonial life and where the value system's most definitive reference is family unity. ❄ In some cases, the banquet continues in the cemetery. Here families share fine foods with deceased relatives, as Romans did in the catacombs. Kith and kin converge by the grave and calmly chat with the decorum suited to a family gathering. As with any celebration, music often lends liveliness and warmth to the homage. *Norteño* bands, trios or mariachis are sometimes overheard playing at different graves, while deceased parents' favorite songs bring a sweet sense of nostalgia to their children's hearts. ❄ Given its ambiguous nature (at once valuable and detrimental) and the fact that it is a substance that can be made sacred, given its mysterious power to provoke both laughter and tears and to summon up at once dreams and nightmares, alcohol is an essential element of our rural world's celebrations and rituals, as it is in many other cultural regions around the globe. It is almost always a part of Day of the Dead festivities—in many places, it is the ceremonial offering *par excellence*—though its use varies according to local libation customs: though most often consumed in moderation, it is sometimes used in a violent and excessive manner. Hence the exalted character that certain funeral banquets adopt and that

some hasty visitors mistake for an attitude akin to the jovial euphoria of altars inspired in the revolutionary tradition. In any case, these manifestations' general mood radically contrasts with the sentiment prevailing in official or secular folklore. There are no belly laughs here, no mockery of death, no boasting ("life is worth nothing"); on the contrary, these rites attempt to perpetuate the presence of loved ones by remembering them, extolling the value of life and prolonging its pleasures as one enjoys the banquet, flowers and music with one's senses. ❄ These celebrations very rarely feature the distinctive signs of the first figure of death that we analyzed. The few images of skulls and bones we may see are related to the mortuary insignia of Catholic imagery (and are devoid of any sense of playfulness), though decorative elements derived from official altars have slowly begun to appear. These offerings bereft of dancing skeletons or sugar skulls allow us to see that many Mexicans (indeed, a majority of the rural population) have a different concept of the universe and a different understanding of fate; moreover, they shatter the homogenous image we have of a country united by a national essence characterized by a glorious rebel spirit that leads one to risk one's life and defy fate. By facing death in their own considerate, devout, characteristically simple and unaffected manner, these Mexicans have enriched our common motherland with the vigor of a distinct culture that bears a close resemblance to others flourishing throughout the world. ❄ We have seen that death has many faces in Mexico—not only that of the Catrina—and that this country is less magical and less homogenous than we like to think. In a country with so many different cultures, there are indeed many ways of dealing with pain, grief and the unknown.

OTHER FACES OF DEATH: GHOSTS AND APPARITIONS

In the rural world and its near neighbors, death may appear in many guises: in the beloved shape of parents, grandparents or as the little angels personifying deceased infants—whose souls are only allowed to visit us when they are invited—but also as the terrifying grin of the wraiths who appear on dark and dismal nights or in deserted places. Ritual lends one

the advantage of foresight. Beings from beyond the grave are always troubled and restless, no matter how much they were loved while they were alive. On the Day of the Dead, the gates to the world beyond can be opened and closed at determined hours (the same way that, in the modern world, psychoanalysis can open and shut the doors to the subconscious, the therapist's watch always as closely monitored as Death's hourglass). ❄ In certain places, these ceremonies end with a fanfare, meant to remind beloved ancestors that their visit has ended and that they must return to their spectral abode. They must be discouraged from prolonging their stay among the living: their lingering presence always implies grief and great danger. Feeling the presence of souls furtively wandering among us along mountain trails or back alleys is likely to make one's skin crawl. In our country's rural folklore (as it happens throughout the world), tales abound concerning the sometimes protective and often perverse shadows of the dead mingling with the wild spirits of nature and creatures of the underworld. ❄ In French, ghosts are called *revenants*—literally, "returners"—and in France as well as Mexico, no effort is spared to stop them from meandering about and to make sure that they remain on the other side of the chasm separating reality's different levels. In the same century

as José Guadalupe Posada, Diego Rivera and Octavio Paz, another notable Mexican artist, Juan Rulfo, wrote a very important book that reveals the underlying structure of the visible and invisible realms in this rural world, where the boundaries between life and death are as tenuous as those separating reason from the subconscious in individuals who are either supremely gifted or disturbed. Thanks to *Pedro Páramo*, this dimension also came to form part of our high culture. ❈ The silhouettes of death sketched out by these two new figures (that of folkloric ghost stories and the profound, refined persona depicted in Rulfo's texts) show us two other ways in which people still commonly face death in our country. It goes without saying that both of these are highly idiosyncratic and yet utterly universal since, in essence, they are similar to the characteristic ways that different peoples on other continents have of dealing with the phenomenon.

METAPHYSICAL HELPLESSNESS

In twentieth-century Mexico, it was not only the most eminent essays, novels, prints or murals that attempted to decipher our inseparable shadow's mysteries. Two of the epoch's most profound and powerful works of poetry also explore the issue, as is obvious from their titles: José Gorostiza's *Death without End* and Xavier Villaurrutia's *Nostalgia for Death*. In spite of their profound differences, they both belong to the great Spanish literary tradition and broach the issues that have disturbed the Western conscience ever since Nietszche and Heidegger. ❈ Faced with a death without the promise of redemption and a life whose last frontier seems to be an empty sign, when one's existence becomes at once a fleeting paradise and an intermittent hell, to what may human beings resort besides the rebelliousness of art?

THE MODERN WAY TO DIE:
ASEPSIS AND DISCRETION

Obviously, not all the spirits that Western ideology has adopted as fundamental references in our country share such a profound, refined vision imbued with both disillusionment and greatness. ❈ In this respect, most upper-class urban Mexicans have an attitude similar to that of their European or American counterparts. We only need to observe the landscaped design

of new graveyards (which go by different names now), the neutral atmosphere of funeral parlors, the increase in cremations, the sobriety of funeral services held in churches in residential neighborhoods. Here as in developed countries, death is an issue one broaches with caution and decorum. Laughter is obviously out of the question. Members of these groups may occasionally take part in conventional manifestations of revolutionary folklore (which have been embraced by certain sectors of the middle class) though they will always maintain a safe distance and tend not to see any relation between the merrymaking skeletons and their own dead. ❈ Death, in this cultural terrain, has undergone the same evolution as in post-Enlightenment Western societies, as Philippe Arles and Louis-Vincent Thomas have pointed out. Some Mexicans living in the realm of modernity await resurrection while others observe with resignation the brevity of human life; a few of them still practice spiritualism, others pray for reincarnation, but practically no one makes a mortuary offering poking fun at his or her dead relatives. ❈ Over recent decades, historians and anthropologists have taken a great interest in the study of attitudes toward death. Thanks to them, we are now aware of the huge transformations that Western societies have undergone, initially due to the extensive evangelization of European folk-cultures beginning in the seventeenth century and then, 100 years later, with the spread, no less importantly, of the Enlightenment's ideals and values (though this second process was more gradual and at first confined to élites). ❈ These phenomena had a major influence on the beliefs and perceptions of both societies and individuals. The growth of the Catholic and Protestant Churches during the baroque period led to the gradual elimination of cultural expressions of a pre-Christian origin (still very much alive at this time, particularly among rural populations); the Enlightenment, for its part, encouraged the adoption of social models based on rational intelligence as their only guiding principle rather than on community and emotional ties. ❈ As for the topic that concerns us here, these processes led to the supplanting of traditional attitudes and behavior while new northern

European standards gradually gained acceptance. Throughout the Western world (including Mexico), people imbued with the spirit of modernity began to scorn ancient practices, qualifying them as superstitions. This category of course included offerings of foodstuffs and *agapes* (banquets held in cemeteries by the first Christians, after the fashion of the ancient Romans—a tradition Europeans had indeed conserved for millennia). In this regard, it is interesting to recall the reproving tone of José Tomás de Cuéllar's account of the Day of the Dead in Mexico City in 1882. What seems to most offend his sensibilities is the characteristic informality of family celebrations—an informality interpreted as irreverence by a man whose gaze had been molded by the moderns' serious, distanced outlook upon things otherwordly. ❈ In issue no. 43 of *Artes de México*, we broached in greater detail the transformation that affected Western societies' symbolic systems as a whole, as well as those of peripheral countries like our own in a less profound manner and at a later date. The progress of science, technical knowledge, medicine and hygiene fueled the dream that reason and health could prevail. Any expression of what was considered to be related to evil or death was banished from sight and consciousness: madness and illness, extravagance and licentiousness, excess and death became indecent topics of conversation; boldly expressed emotions were also rejected as improper. Europeans—and cultures assimilated by their high culture—believed that everything could be (or had to be) clean and transparent. Depictions of danses macabres were destroyed and cemeteries were relegated to the outskirts of cities (following the example of the Cimetière des Innocents in Paris): new necropolises had to be built on the periphery, allegedly in order to prevent what was then commonly believed to be a risk of contagion, but more importantly, in order to eliminate depictions of death from the collective imagery. ❈ Individuals whose cultural references are those of modernity have eradicated from their immediate environment practices that they consider archaic and a sensibility that they deem excessive. And they do not sublimate their grief with prints of laughing ghouls.

FROM MACABRE DOLORISM
TO A GENTLER KIND OF DEATH

There is yet another face of death that enjoys a favored status in Mexico. In every corner of the country, one may encounter often splendid expressions of a tragic sort of pain: martyrs who have been dismembered or riddled with arrows, lost souls subjected to purification by fire, wretches enduring the most unlikely tortures, or bloody, mutilated and flayed Christs experiencing infinite suffering (in this regard, see *Artes de México* issue no. 10 and also the book *Corpus Aureum* in the Uso y Estilo collection). ✳ Pious art of the baroque period flourished in our country and was indeed adopted as one of our cultures' innate forms of expression. Spiritualities deriving from the concept of *De contemptu mundi*—a legacy of the monastic tradition—were reawakened by religious reform movements and bore a strong influence on art and forms of religious devotion in New Spain. The Catholic aesthetic of the baroque period, stemming from reforms implemented by the Council of Trent, created a religious culture that privileged sensory experience as a means of achieving transcendence. Consequently, often passionately executed poetic and artistic depictions of the mysteries of faith (and death in particular) were viewed with favor. ✳ Moreover, the evolution of moral conscience (superseding ancient schema focusing on ritual purity) and the emphasis on freedom and each individual's responsibility in terms of his or her own salvation (derived from Catholic ideas about grace which, in those years, were perhaps the main point of theological contention) directed questions regarding the fate of human beings toward a truly crucial point: the moment of death. Indeed, eternal damnation or happiness could depend on the latter. To die well became these believers' main concern. St. Joseph's serene passing was the ideal model (though it is not described in the Gospels). Indeed, worship of this holy figure reached an unprecedented peak during these centuries (as he was named patron saint of the kingdom of New Spain). ✳ Christianity posits that death can be overcome by the death of Christ and that we only have access to true (eternal) life thanks to his sacrifice. The semantic complexity of the sense of the macabre in

baroque Catholicism—which drew extensively on medieval sources—owes much to this apparent paradox: only death can give life. ✳ These theological and cultural questions were the inspiration for the production of truly outstanding art in New Spain. ✳ A solid culture rooted in Catholic and Criollo traditions continues to thrive in many parts of Mexico (and is most prevalent, for instance, in areas where the Cristero revolutionary movement began). Here, death does not permit pranks or practical jokes. Indeed, it represents nothing less than the difference between eternal damnation and salvation. ✳ Great literature—in this case, the work of Agustín Yañez—allows us to once again peer into a universe that remains as vital and intense as when *The Edge of the Storm* was written (though its inhabitants represent an ever-decreasing minority of the general population). Here, deceased ancestors are not embodied as playful skeletons but rather as glorious bodies deserving of worship or lost souls in need of prayers.

ACROSS THE BORDER:
THANKSGIVING AND HALLOWEEN

Mexican cultures, like those of other countries, are constantly interacting with each other as well as with peoples abroad. For some generations now, the main point of reference here has been the United States (and not merely on a cultural level). ✳ Millions of families (representing approximately a fifth of the country's total population) have taken local customs and flavors across our borders. Inversely, a growing number of Mexicans eagerly attempt to follow the ambitions, fashions and even the heartbeat

of this nation as consumer-society patterns continue to spread, given the extraordinary vigor of American pop culture and the fact that this power is a paradigm of modernity. But there also exists a phenomenon in the U.S. that could be compared to the rural Mexican family unit's most important ritual celebration: indeed, the closest American equivalent to the feast of the Day of the Dead—the kind that does not welcome mockery or jokes—is Thanksgiving dinner. Both of these traditions are related to the worship of corn and take place in November, the month of harvest; however, while the banquet here has a marked indigenous character, across the border it has become a transcultural celebration. In the U.S., only a small group of family members gather for a feast that was originally conceived to thank God, acknowledge each individual's effort in the harvest and the Earth's generous bestowing of its gifts; the ritual clearly attempts to integrate all communities under the ethical principles of the nation's founding fathers—industry and thrift. The evening spent at home is tranquil, intimate and circumspect, and the menu features a healthful combination of bland, balanced flavors. In Mexico, on the contrary, the festivity summons a vast community of relatives, friends and neighbors, something that justifies the extravagant abundance of dishes offered: a feast for the poor, who can only binge once a year, and also a feast for the well-to-do, who can allow themselves the noble gesture of inviting a countless number of guests and then treating them like kings. ✳ While the past is but a symbol and reminiscence at Thanksgiving (like the Holy Supper is in some Reform-inspired religious traditions), the Day of the Dead inscribes itself within a historical cycle based on a concept of time as endless and immobile: the guests of honor are deceased ancestors. This mnemonic ritual relates the Mexican families practicing it to Shintoist or Confucian families who know that there is no better way of ensuring social cohesion than cultivating love and respect for ancestors. ✳ For the past century, Mexicans living in the U.S. have been concerned with the same search for an identity that has obsessed their kinsfolk who stayed behind on native soil. In their case, the phenomenon is intensified since they are immersed in a space of different signs and values. Moreover, their new homeland urges them to formulate in the most explicit way possible (and this is a trait of multicultural societies) the distinctive features and peculiarities of their own communal identity. ❋ Under these conditions, it is normal that Mexicans "on the other side" and especially their children would most often resort to a nationalist cultural model (which includes the literary character created by Octavio Paz—"the Mexican"—and also Posada's and Rivera's depictions of skeletons). Moreover, those coming from rural areas where there is a tradition of family offerings (the sweetly nostalgic rather than mocking kind) attempted to mix two formulas—a serious, devout altar at home and a playful monument in schools and public buildings—like relatives of theirs moving to large Mexican cities had done. ❋ On the other hand, among Mexicans living on this side of the U.S. border, the lay, republican representation of death, an image created in the early twentieth century, has experienced a rapid transformation in recent decades. By making All Saints' Day coincide with the Anglo-Saxon holiday of Halloween, the religious calendar caused these two forms of ceremony derived from European traditions (Mediterranean and baroque in Mexico, Nordic and Romantic in the U.S.) to begin mingling in terms of their forms and meanings, on city streets and in working-class homes. ❋ The identity-based cultural model, tied to national borders, is being replaced by a new one which is still not well-defined. ❋ These days, children in the streets of Mexico City are as likely to dress up as witches as they are skeletons, and many use a hybrid pumpkin and skull as a container for their treats ("Give me something for my skull," they say brandishing a plastic jack-o'-lantern). ❋ Compared to witches' costumes and monsters on television, the traditional face of death loses power, becoming a mere mask, barely frightening in a playful, puerile way. This new phase of the process leads us a little closer to modernity, where the image of death must necessarily be banished, eliminated or trivialized. ❋ All invented traditions

are subject to constant metamorphoses and this one is no exception to the rule. Today, the North American cultural space is still very much involved in its process of formation.

THE SANTA MUERTE & AK-47s

Societies, fortunately enough, do not have a fixed, immutable soul or a definitive idiosyncrasy common to all their members; they undergo transformations and even mutate. ❋ We have seen that there are many different ways of dealing with life—and hence also with death—in Mexico, as everywhere else on the planet. ❋ Some of the traditions that have taken root here are truly ancient and bear similarities to models that are extremely widespread throughout the world (*i.e.* rural customs), while the way others took hold seems to be the result of random historical accidents (*i.e.* post-revolutionary customs); finally, there are several traditions whose evolution we may trace back to the moment of their appearance (*i.e.* modern and baroque customs, etc.). ❋ Furthermore, there exists in our country a particular image of death that was but a faded and almost imperceptible relic for some time, but which has acquired much greater visibility over the last few years and has even begun creating its own subculture. ❋ The economic modernizations we have experienced—with no comparable phenomenon occurring in the social or cultural fields—dismantled the old state and corporate networks and yet failed to establish new ones that could both function as adequate replacements and be more consistent with the new economic models that the country has adopted. As a result, alternative networks have appeared, modeled on the former type and yet increasingly marginal, deviating further and further from the efforts required in the building of a democratic society. Moreover, with every new economic crisis, our country has seen the growth of a criminal fringe that has an aesthetic and a language of its own, expressed as an extraordinarily vital form of popular literature. ❋ An heir of ancient medieval tradition, the noble old Mexican ballad known as the *corrido* has nowadays become the vent through which we can hear the breathing of a cul-

tural sub-sector of Mexico which, while it stuffs its pockets with diamonds and "greenbacks," strays from the path of the communal project. In our literary world, a kind of folk poetry is blooming, singing passionately about the fleeting pleasures that easy money can buy, expressing, moreover, a familiarity with death that is far from humorous, the kind of death one meets in an ambush under the deafening fire of AK-47s. ❋ In Colombia—a country that, tragically, has more experience in this field than we do—great writers living as expatriates have reflected upon these worlds (Gabriel García Márquez in *News of a Kidnapping*, Fernando Vallejo in *Our Lady of the Assassins*). In Mexico, although Arturo Pérez-Reverte has set the tone with *La reina del sur* (Queen of the South), it has been the fringe community's own voice that we have heard over the past few years, sometimes expressing itself with striking honesty. ❋ These moving, at times harsh, and often beautiful lyrics have found the guttural, visceral and sensual strains of *norteña* music to be a fitting medium for singing to the youths who are being killed off in our streets. ❋ This face of death that cuts lives short blindly, without hesitation, murdering more innocents than malefactors, is invoked daily by many people who have done everything possible to bring it upon themselves and yet attempt to ward it off with offerings, prayers, pilgrimages, gold medals and diamonds. This figure of death is very much alive, and our country does not have the slightest idea what to do with it. ❋ *Translated by Richard Moszka.*

Cut-out tissue-paper skeleton and paper-mâché skulls.

ARTES
DE MÉXICO

La enciclopedia
de las
culturas de México

Página anterior: Fotografía de Pedro Tzontémoc.
Abajo y página siguiente: Fotografía de Gerardo Hellion.

ARTES
DE MÉXICO
LA ENCICLOPEDIA
DE LAS
CULTURAS DE MÉXICO

HACE YA MÁS DE VEINTE años comenzamos a editar la nueva época de *Artes de México*. Desde el primer ejemplar, dedicado al *Centro histórico de la ciudad de México*, hemos decidido que nuestro objetivo no debe ser sólo señalar las formas y los ámbitos valiosos del arte mexicano, sino que hemos buscado, además, descifrar sus secretos. Esos que nos permiten comprenderlo de fondo.

Durante más de dos décadas hemos integrado series que nos permiten reflexionar en torno a los distintos rostros de México. Así, por ejemplo, hemos creado algunos números sobre nuestros símbolos nacionales, que nos han permitido comprender mejor quiénes somos, cuál es la idea que se tiene de nuestro país en el exterior y cómo ésta ha influido en nuestra fantasía. Igualmente importante ha sido la serie sobre fiestas tradicionales, cuyos números nos revelan, en el rostro festivo de México, el más nítido retrato de nuestro país. También hemos abordado la huella estética y espiritual que los jesuitas han dejado en nuestro territorio, las voces escondidas en el arte popular, el carácter entrañable de nuestras ciudades y los intercambios culturales que nos han enriquecido al paso de los años.

En cada una de estas ediciones hemos tomado como brújula el asombro para acercarnos a las expresiones que nos hechizan por su belleza o que nos fascinan por su complejidad. Y así, a través de cada una de estas aventuras editoriales, hemos construido paulatinamente una enciclopedia de las culturas de México.

MORE THAN TWENTY YEARS ago have gone by since *Artes de México* resumed publication.

Already in our first issue, dedicated to *Mexico City's Historic Downtown*, we realized our goal should not limit itself to pointing out the importance of Mexican art in terms of both its content and contexts, but that we should also attempt to decipher its underlying meaning, which would help us to understand it in depth.

Over this period of more than two decades, we have published series of issues that allude to the different faces of Mexico. One series of titles, for instance, was concerned with national symbols that have allowed us to better understand who we are, how our country is perceived abroad, and how this perception has influenced our own imagination. Of equal importance is our series of issues on traditional celebrations, which provide a bright portrait of the festive face of our country. Other topics we have examined include the aesthetic and spiritual marks that the Jesuits have left on our land, the hidden meanings of folk art, the unique character of various cities, and the cultural exchanges that have enriched and enlightened us over the years.

In each of these issues, it is the power of amazement that has guided our approach to artistic expressions whose beauty bewitches us, or whose complexity fascinates us. And so with each exciting new issue, we have gradually compiled an encyclopedia of Mexico's cultures.

Entre lo útil y lo bello, entre la contemplación y lo funcional, esta colección, coeditada con el Museo Franz Mayer, es una muestra excepcional de las artes decorativas.

From utility to beauty, from contemplation to function, the Use and Style collection (co-published with the Franz Mayer Museum) provides a fascinating glimpse of the applied arts in Mexico.

- Sarape de Saltillo
- *Art Nouveau*
- Ruth D. Lechuga. Una memoria mexicana
- Retablos y exvotos
- La chaquira en México
- Taracea islámica y mudéjar
- Lacas mexicanas
- Cerámica inglesa en México
- *Corpus aureum*. Escultura religiosa
- Franz Mayer fotógrafo

Visiones heterodoxas del arte
en libros ilustrados de manera original
que resucitan hoy el arte antiguo
de la tipografía y de hacer libros.

Unorthodox views on art in creatively
illustrated books that aim to revive
the ancient crafts of typography
and bookmaking.

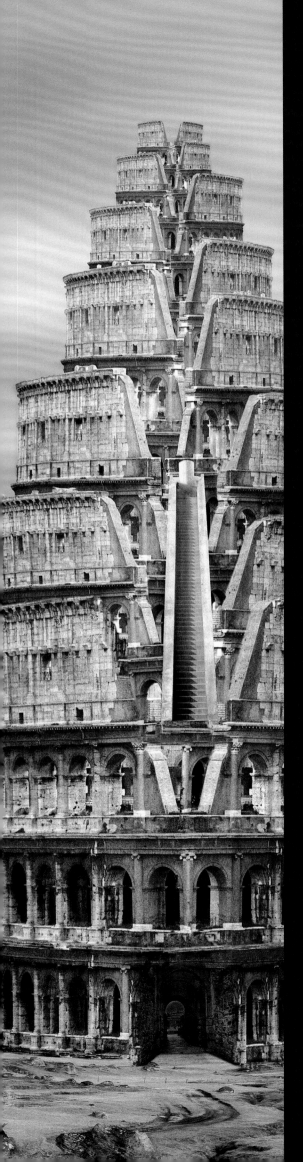

clp

Luz Portátil nos presenta libros
en los que un ensayo fotográfico
y un experimento de escritura se funden
para invitarnos a ver, a comprender
y a adueñarnos de esos instantes lúcidos
que quisiéramos atesorar.

Portable Light is a collection of books
where the photographic essay
and the literary experiment are united,
allowing us to see and comprehend those
cherished moments of lucidity
and to make them our own.

- Lo que el mar me dejó
- Todo ángel es terrible
- Cartografías
- A través del cristal
- Locales
- Laberintos caligráficos
- Rituales
- El color del tiempo
- De cuerpo presente
- El campo del dolor
- Cielo y tierra
- El bosque erotizado

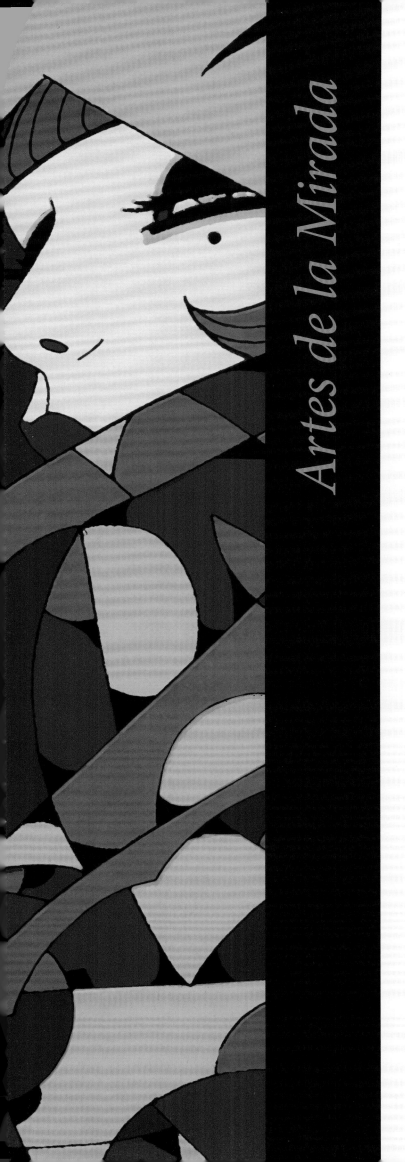

Artes de la Mirada

Ensayos sobre la historia y la cultura de México, sobre las representaciones, las imágenes, las obras de arte como objetos del gusto y la sensibilidad.

Essays on Mexican history and culture, on representations, images and artworks as the products of our tastes and sensibilities.

- Locuralocúralocura
- Diseño gráfico en México. 100 años. 1900-2000
- Tesoros del arte popular mexicano. Colección Nelson A. Rockefeller
- El sueño inconcluso de Émile Bénard y su Palacio Legislativo. Hoy monumento a la Revolución
- Cinco llaves del mundo secreto de Remedios Varo
- El banquete de las banquetas
- 101 Aventuras de la lectura
- Mosaico en México. El taller de la familia Perdomo
- La mano artesanal
- El Barón de Courcy. Ilustraciones de un viaje. 1831-1833

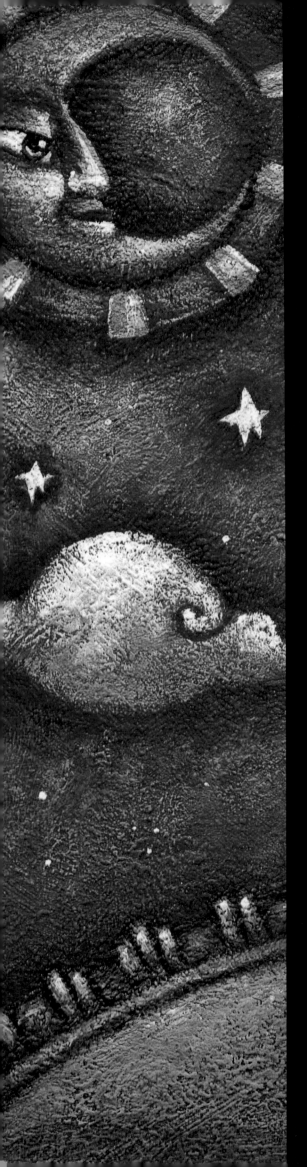

Libros del Alba

Para niños y jóvenes, libros de arte e iniciación.

Artistic, educational books for children and young people.

- Con los ojos cerrados. Sueños de los niños indígenas
- El secreto de la selva. Una leyenda lacandona
- Tache al tache
- El juego de las piedras antiguas
- *Ñuma'na ñivi ñuu*. Sueños Mixtecos
- Jacinto Pérez. Cazador de imágenes de la Revolución mexicana
- Beowulf
- Observa, imagina
- Billetes al viento
- Pintores mexicanos de la A a la Z
- Inanna. Mito de la cultura sumeria
- Mi monstruo Mandarino
- El panteón de la patria. Calaveras de la Independencia
- El juego de las miradas
- Economía ¿Qué es el dinero?
- La sirena del desierto
- Huevos rancheros